MI MOCHILA EMOCIONAL

Por Jackeline Cacho

Jackeline Cacho

Mi Mochila Emocional

SBN-9781645507925

Derechos reservados 2020

Escritora Jackeline Cacho

jackelinecacho@yahoo.com

Dirección y Producción de Imagen: Thene Muciño

Fotografía: Ramiro Gaytán

Producido por JC Entertainment

Impreso en USA

"Dios es Nuestro amparo y nuestra fortaleza, nuestra ayuda segura en momentos de angustia"
Salmos 46:1

Agradecimiento y dedicatoria

Mi Mochila Emocional, es un libro dedicado a Dios que me protege cada día, a mi padre Víctor que está en el cielo, a mi bella madre Carmen Cacho que es mi inspiración de vida, gracias por todos tus sacrificios y amor incondicional gracias a ti soy quien soy mi bella madre "Te Amo" eres "mi todo", a mis hermanas Camucha y Patty las amo con todo mi corazón gracias por cuidarme desde niña a mi hermano Aarón que tanto apoyo me ha dado, es un joven sabio, te amo chino, a mi pareja Thene gracias amor por tu apoyo por acompañarme en mis sueños en todos estos años y por tu paciencia cada día e impulsarme a conquistarlos: Te Amo, y a mi pequeña Candy, mi perrita, por todo su amor y por supuesto este libro está dedicado a todas las personas que me han ayudado durante toda mi existencia a los ángeles que me han guiado en mi propósito de vida. Y lo entrego a todas las personas que como Yo enfrentan o enfrentaron ataques de ansiedad o pánico, y que sobreviven cada día esta crisis, no estamos solos, podemos erradicarlos de nuestro sistema confiemos en Dios y limpiemos nuestro organismo, mente y espíritu cada día para caminar libres con una Mochila Emocional ligera con archivos positivos que nutren nuestra vida.

Bendiciones, Su Amiga

JACKELINE CACHO

jackelinecacho@yahoo.com

www.jackelinecacho.com

CONTENIDO

Prólogo

Las motivaciones que permiten a una persona talentosa vencer obstáculos inmensos se deben admirar. Un espíritu caritativo que procura convertir las experiencias de su vida en lecciones de lucha que preparan el terreno para otros debe ser apreciado. Y el sentido del propósito que transforma la vida de una persona en un ejemplo de disciplina, resistencia y logros se debe celebrar.

Es por eso que quienes hemos visto la odisea de Jackeline Cacho a través de naciones y continentes fácilmente admiran, aprecian y celebran su vida y su trabajo. Los momentos felices de su vida así como sus difíciles y hasta aterradoras experiencias convertidas en lecciones inestimables para nuestros tiempos se destilan en la autobiografía honesta de Jackeline. Su historia es una narrativa de talento, de la ambición, del apoyo de la familia, del coraje, de la determinación, de la visión, y del trabajo duro. Desde su infancia inició el desarrollo de sus talentos que la convirtieron en una persona carismática, porque Jackeline empezó muy temprano en su vida su camino hacia el estrellato.

Durante los primeros años de su carrera en los medios conquistó a través de América Latina posiciones de cada vez más grandes responsabilidades cuando era una pionera en el campo. Como una profesional recién llegada en compañías hispanas en Estados Unidos superó las expectativas al mismo tiempo que se enfrentaba a las tensiones y al estrés de su exigente carrera en un nuevo país. Durante la última década se ha convertido en una empresaria multimedia, así como un modelo a seguir que orgullosamente representa su cultura hispana, además de ayudar a familias y mujeres particularmente jóvenes a quienes aconseja caminos prácticos para alcanzar su máximo potencial.

Jackeline Cacho es un ser humano extraordinario. Debemos estar agradecidos de que esta estrella multimedia haya elegido la forma tradicional de un libro escrito para compartir con nosotros sus peripecias e ideales. En esta forma lo podemos leer, guardar, releerlo, conocer sus lecciones e incluirlo durante muchos años entre nuestras más valiosas pertenencias. Una persona tan especial viene con muy poca frecuencia. Su gran colección de lecciones de vida se presenta ante nosotros para admirarlas, apreciarlas y celebrarlas.

-Henry Cisneros

Detonante inesperado

Todo era bullicio en San Antonio, Texas la mañana nublada del 31 de diciembre del 2004 por los preparativos para despedir y recibir el nuevo año. Regresaba del gimnasio en mi camioneta por la autopista 410; ocupaba pasar por mi casa por algunas cosas que me hacían falta para hospedarme en el hotel donde había decidido quedarme un par de días para facilitar la avalancha de trabajo que se me venía encima no sólo como conductora estelar de las noticias del fin de semana en el Canal 41 de Univisión, sino por la fecha que hacía que toda la programación de la empresa de televisión en la que trabajaba fuera más especial que de costumbre.

Había planeado meticulosamente mi agenda para no tener conflicto de tiempo porque participaría también durante las transmisiones nacionales de fin de año con reportes especiales que por ser en vivo debían ser exactos, ocupaba llegar a las instalaciones al filo de las dos de la tarde y eran apenas las diez de la mañana, por lo que manejaba sin prisa disfrutando del paisaje característico de invierno, pero extrañando las flores de altramuz o *bluebonnets* que en Texas dan la ilusión de manejar en medio de una alfombra azul al inicio de primavera.

Una llamada telefónica interrumpió mis pensamientos, era el productor del noticiero para decirme que esperaba que ya estuviera en camino para preparar los cortes noticiosos que requeríamos hacer, que fuera de inmediato a la estación porque ocupaban que llegara más temprano que de costumbre.

La Jackeline de ese tiempo se sentía dueña del mundo, de la carretera y de todo. Presioné con fuerza el acelerador para aumentar la velocidad preocupada porque me hacía falta bañarme, arreglarme y llegar al Canal lo más rápido posible, pero mi destino cambió cinco minutos después de colgar la llamada de mi jefe.

Prácticamente volaba a 80 millas por hora presionada por el tiempo cuando me cambié al carril derecho y me di cuenta demasiado tarde que esa era precisamente la vía por la que ingresaban los autos a la carretera...

Quise remediar el error tratando de regresar a mi carril original cuando sentí que perdía el control y estabilidad de la camioneta también por la alta velocidad a la que conducía; aterrada vi que un coche estaba por cruzarse en mi camino y comprendí que el choque sería inevitable. Cerré los ojos al pensar que estaba viviendo los últimos instantes de mi vida.

Segundos después sentí que mi camioneta daba vuelta tras vuelta y luego un choque de gran impacto seguido por otro y dos más me llevaron a pensar que todo había terminado para mí.

Sin saber con exactitud qué me había pasado, lo único que recuerdo es que de pronto todo se quedó en silencio en medio de la que para mí fue una especie de nube blanca. Me desmayé por alguno de los golpes recibidos y al volver en sí escuché diversos sonidos de todo tipo mientras sentía que estaba en medio de una especie de sueño en el que veía pasar todo como en cámara lenta, aunque ese indudablemente fue uno de los momentos más largos de mi existencia.

No comprendía que yo, que siempre daba las noticias de todo lo que acontecía en la región, me convertí en protagonista inesperada de mi propia noticia al verme involucrada en uno de los más graves accidentes que se hayan registrado en esa carretera por la coalición de cuatro autos que provocó el cierre total de la que es una de las autopistas más transitadas del estado.

Cuando por fin abrí los ojos, al descubrirme en medio de una cortina de polvo pensé: "estoy muerta, ¿llegué al cielo?" ... entonces sentí algo caliente corriendo por mi frente, y al tocarme descubrí que era sangre, entonces reflexioné: "no... ¡estoy viva!" ... En ese momento percibí un fuerte olor a quemado invadiendo el ambiente, y al recordar que había reportado en múltiples ocasiones que tras un impacto tan grande los autos corren el riesgo de explotar, comprendí la urgencia de salir de inmediato de ahí.

Mi inconsciente me decía: "salte del coche", pero me sentí atrapada entre una bola de metal y armándome de valor decidí luchar con toda la fuerza y voluntad de que soy capaz y sin comprender todavía cómo, logré escapar de la camioneta por una ventana. Con lentitud y mucha dificultad empecé a caminar tratando de alejarme del accidente y vi que la autopista estaba totalmente vacía.

De pronto sentí el impulso de voltear hacia atrás, descubrí mi camioneta totalmente destrozada por el choque múltiple y todas mis cosas tiradas en la autopista, desde el equipaje que tenía listo para los varios cambios que requería ese día, hasta papeles de oficina, mi computadora portátil, mi teléfono y radio y regados por todos lados seis mil dólares en billetes de diversas denominaciones que acababa de sacar del banco para cumplir con mi tradición, perdida desde ese día, de iniciar el año con las bolsas llenas de dinero.

Entonces pensé asustada y sorprendida: "¿Todo esto es lo que hiciste por tu irresponsabilidad de haber corrido?, ¿Por tu desesperación de querer llegar al trabajo?, ¿Por no atreverte a decir que te disculparan pero que llegarías un poco tarde?" ... En ese instante mi cuerpo empezó a convulsionarse, me detuve en el muro de contención, descubrí que eran cuatro los vehículos afectados y me sorprendió la enorme fila de autos que se estaba formando...

Levanté mis ojos hacia el cielo, me di cuenta de que estaba empezando a llover, y tan impresionada como estaba sentí mis lágrimas confundirse con las gotas de lluvia corriendo a raudales por mi rostro y supliqué: "Dios... ¡ayúdame!, ¿Qué me está pasando?, ¿Qué hice?... Mis pensamientos se interrumpieron cuando vi aproximarse a un hombre vestido de negro, de cabello medio canoso, barba y los ojos ocultos tras lentes oscuros.

Literalmente temblaba sin control y no lograba dejar de llorar cuando el recién llegado me tomó de las manos y me dijo: "No te preocupes Jackie, todo va a estar bien", me sorprendió que sabía mi nombre pero en la crisis en la que me encontraba en ese momento no le pregunté de dónde me conocía, contrario a eso agradecí el sentirme protegida en uno de los momentos más vulnerables de mi vida y angustiada le pregunté: "¿alguien murió?", el recién llegado me tranquilizó al decirme: NO "No te preocupes, todos están bien", con un enorme suspiro le di gracias a Dios, aliviada por saber que los involucrados en el accidente sobrevivirían.

El hombre de negro mantuvo una de mis manos entre las suyas y la otra la puso en mi cabeza y empezó a orar y repetir una oración que no he olvidado nunca: "Padre, te pido con todo mi corazón que en este instante tú puedas sanar desde la punta de sus cabellos hasta la punta de sus pies a Jackeline Cacho, que ella no tenga ningún problema, que sea sanada y que tus ángeles la abracen y pueda entender que todo esto tiene una razón de ser. Padre cúrala, padre sánala, yo te la entrego a ti en este momento, ella no está sola."

Lloré aún más y no lograba dejar de temblar. Él me dijo: "Jackie quédate aquí, necesitas ayuda y voy a buscarla", yo le rogué: "por favor no se vaya, no me deje", al marcharse él me repitió: "no estás sola, no te preocupes, todo va a estar bien". Lo vi irse y logré sentarme en la carretera apoyada en el muro de contención mientras trataba de controlar lo agitado de mi respiración, no comprendía que por todo lo ocurrido, en ese momento estaba sufriendo de un ataque de ansiedad y pánico.

El cercano sonido de las sirenas de varias ambulancias fue seguido por los paramédicos que muy eficientes llegaron a auxiliarme, *Are you okay?*", ("¿Está usted bien?"), me preguntaban repetidamente y yo les contesté en inglés, "No, no estoy bien", me pidieron que no me moviera y me inmovilizaron en una camilla donde además me pusieron un collarín para prevenir que se afectara aún más cualquier posible lesión.

Agradecida al sentir la ayuda le pedí a uno de los paramédicos: "señor, puede llamar por favor a ese hombre vestido de negro que está caminando ahí?", él me contestó: *"everything is okay, not worries"*, -"todo está bien, no te preocupes"-, entonces le insistí: *"¿Mister, Can you please call that men in black who's leaving?"*, -"señor, puede por favor llamar a ese señor que se está alejando?", y entonces volteando una y otra vez hacia el lugar que yo le señalaba me contestó: *"What are you talking about?, there is nobody..."*, _-De qué estás hablando, ahí no hay nadie..."-, "Claro que si" -le dije desesperada-, el caballero de negro!", y él repitió: *"is not one there"*, "-no hay nadie ahí-"... *"It's okay, we're here, not worries"*, -"Está bien, nosotros estamos aquí, no te preocupes"...

Lloré aún más que minutos antes, porque aunque los paramédicos me decían que ahí no había nadie, yo seguía viendo al hombre de negro alejarse sin prisa.

Eso me preocupó mucho y le pregunté a Dios: "¿Qué está pasando aquí?, ¿Es que me voy a morir?" Mi angustia aumentó porque de pronto ya no sentía mis piernas mientras la presión de los latidos de mi corazón subía peligrosamente. El paramédico empezó a hablar conmigo y a pedirme que me calmara, que pusiera de mi parte; tomé su mano y le rogué que por favor que le avisara a mi familia, él volvió a pedirme que no me preocupara porque mi presión estaba subiendo demasiado.

Tuvieron que suministrarme un calmante porque estaba cada vez más preocupada, me angustiaba pensar lo que sufrirían mi adorada madre y toda mi familia cuando se enteraran de mi accidente, pensé en mis hermanos y en todos mis seres queridos porque lo último que he querido darles nunca son preocupaciones, y lo único que no quiero es que mi mamá reciba una llamada telefónica que pueda hacerla sufrir nuevamente recordando que la última vez que mi madre recibió una trágica llamada fue la del fallecimiento de mi padre...

En el hospital me atendió un doctor de origen asiático de nombre Arcángel y cuando me vio, me dijo: *"Wowww, you're the lady in the news, ah?"*, "Wowww, tú eres la dama de las noticias verdad?, ¡no es una buena manera de decirle adiós a este año!, ¿ah?".

Le pregunte muy seria: "Dígame qué tengo doctor", él me explicó: "estuviste en el choque de cuatro vehículos, te volteaste en tu camioneta, no he encontrado contusiones, no tienes ningún hueso roto, no tienes ningún trauma en el cerebro, no tienes nada en tu cuerpo, sin embargo tienes que cuidarte y revisarte periódicamente porque eso no significa que en algún tiempo no puedas sufrir de dolores en la espalda, sin embargo el único corte que sufriste fue cuando se reventó la bolsa de aire y golpeó tu frente, tuvimos que ponerte dos puntaditas."

Luego de un instante de reflexión, añadió: "pero te voy a decir algo: tengo 27 años de doctor en salas de emergencia y nunca en mi vida había visto que alguien que ha tenido un accidente de esta magnitud no tenga nada, ni un hueso roto, yo no sé pero hay alguien allá arriba primero que te está cuidando, y segundo que te está mandando un mensaje, ¡Analízalo!... Y cambiando de tema le anunció:

te puedes ir en una hora, relájate y descansa, estás bien."

En esa hora llegó mi hermana Patty que lloraba angustiada y temerosa de que mi estado de salud fuera grave, pero trataba de controlar su preocupación para no alterarme más, luego salió y poco después regresó feliz tras hablar con los médicos, me dijo que iríamos a casa para que descansara y me recuperara por completo, que todo estaba bien, que mi jefe estaba enterado porque llegaron las cámaras del noticiero y captaron lo que ocurrió, todo fue televisado; al día siguiente lo publicaron los periódicos con detalle porque fue uno de los accidentes más impactantes de ese fin de año.

Llegué a casa cerca de las seis de la tarde, me quedé un rato sentada y lloré por lo que me pasó, mi hermana me reiteró que todos estaban para apoyarme y me preguntó qué quería hacer, Le dije que iríamos a la celebración de fin de año que habíamos planeado, ella se escandalizó y me dijo: "¡pero Jackie, ¿tú estás loca?...!", yo con un largo suspiro y lágrimas de emoción le contesté: "No Patty, yo estoy viva y voy a aprovechar cada minuto de mi existencia", porque aunque para mi había muchas cosas inexplicables, ese día volví a nacer.

Al llegar al hotel para despedir el año me encontré con varias personas de mi cadena televisiva y la productora de programas especiales de la cadena, quien al verme coincidió con mi hermana y me preguntó: "¿Pero tú estás loca?, ¡Deberías estar en tu cama recuperándote de lo que te pasó!", yo le dije lo mismo que a Patty: "No estoy loca amiga, ¡estoy viva!, en mi cama estaría si hubiera muerto", entonces me contestó: "¡Tienes razón!, ¡Vente, vamos a hacer los últimos cortes en vivo para la programación nacional."

Yo estaba pletórica de alegría porque sentía que había recibido un regalo de vida porque a pesar de la gravedad del accidente y de que mi camioneta fue pérdida total a mí no me pasó nada, por ese motivo no pedí días libres en mi trabajo y nadie podía creer lo positivo de mi actitud, pero sin compartirlo con nadie, en el fondo de mi corazón yo estaba convencida de que ese accidente cambió mi vida desde muchos puntos de vista y que la Jackeline de antes si murió.

Ese 31 de diciembre es para mi inolvidable porque aprendí a analizar mis prioridades y darme cuenta de que a veces por irresponsabilidad se puede perder la vida en un minuto o provocar la muerte de alguien, hice un alto y decidí bajar la marcha porque estaba viviendo de una forma muy acelerada, también sin imaginarlo ni esperarlo nunca, descubrí sorprendida que ese accidente detonó una serie de retos y circunstancias que terminarían por cambiar el rumbo mi destino.

"Los ángeles existen y aunque algunos de ellos no los veamos están con nosotros, solo tenemos que estar abiertos a recibir las señales divinas, como nuestro ángel de la guarda que nos acompaña desde el inicio de nuestras vidas".

Jackeline Cacho

El momento de la verdad

Tres semanas después de mi accidente me despertaron unas convulsiones a mitad de la noche, fue cuando enfrenté de manera consciente, sin accidentes ni nada por el estilo a la difícil realidad de empezar a reconocer que estaba inexplicablemente demasiado ansiosa, sentía mi corazón latir demasiado acelerado y tuve miedo de morir.

Estaba sola, sudaba frío, se me dificultaba respirar y no podía dejar de temblar. La primera vez muy angustiada llamé al servicio de emergencias y me llevaron al mismo hospital a donde me trasladaron el día de mi accidente. Cuando llegamos les dije que me estaba muriendo y ellos me tranquilizaron diciéndome que no me preocupara porque nada grave me ocurría.

Me administraron sedantes para controlarme y pasé la noche hospitalizada, fue cuando conocí las pastillas tranquilizantes. Por la mañana me recetaron medicamentos para ayudarme a calmar mi estado de ansiedad y pensé que se había tratado de algo causado por el terrible trauma que sufrí el día de mi accidente, pero volvió a ocurrirme dos veces más la misma semana.

Lo mismo me pasó todo el mes siguiente siempre durante la noche, por lo que empecé a llevar una especie de doble vida. En el día trabajaba reportando noticias porque a la luz del día estaba siempre mental y físicamente ocupada, pero por la noche al regresar a casa volvía a padecer lo que tanto me asustaba porque el estar sola me hacía sentir totalmente vulnerable y desvalida.

A pesar de ser literalmente adorada por mi familia y por tener un trabajo que me tenía convertida en un popular personaje público me sentía en la más absoluta soledad sin nadie a mi alrededor, tenía meses de mucha soledad y podría asegurar que estaba pasando períodos de depresión y ya no había semana que no me sintiera atacada y a merced de todo lo que me provocaban los ataques de pánico que se presentaban hasta cada dos días, luego cada noche, hasta que llegó un momento en el que me era imposible dormir bien.

Pero en cuanto amanecía y me iba al trabajo lograba calmarme porque todos ignoraban lo que me ocurría, pero mi problema se hizo tan grave que empecé a llegar semanalmente a la sala de emergencias, luego se incrementaron las visitas hasta cuatro días a la semana al extremo de ya no llamar a la ambulancia, yo misma manejaba y me internaba por los ataques de ansiedad que padecía y aunque trataba, no podía controlar.

Llegué a temer que era bipolar o que me estaba volviendo loca, pensaba que el accidente de fin de año cimbró algo tan profundo en mí que me desestabilizó completamente. Llegué al extremo de luego de cumplir con mi trabajo, irme directo al hospital porque apenas me quedaba sola todo empezaba de nuevo... era como escuchar acercarse el sonido del tren, y sentir que yo estaba parada en medio de las vías esperando que me arrastrara entre sus rieles.

Entonces empezaba a temblar y repetía asustada: "ya me va a venir, ¡ya me va a venir!", hasta que llegaba y sentía que me llevaba, hacía de mi lo que quería porque hacía que llorara, me desmayaba, temblaba, y me hacía sentir la mujer más miserable e indefensa, sentía que mi corazón se agitaba sin control y presentía que estaba cercana mi muerte. Los meses pasaron y decidí buscar ayuda más allá de las salas de emergencia de los hospitales donde me internaba.

Durante todo el tiempo que duró mi padecimiento me impactaba la capacidad que desarrollé para fingir frente a todos mis compañeros de trabajo que pensaban que mi vida era perfecta porque era totalmente responsable y profesional, me quedaba hasta las diez y media de la noche dando noticias y me marchaba como cualquiera de mis compañeros al terminar la jornada de trabajo.

Fingía incluso ante mi familia porque no permitía que nadie me viera en ese estado porque no quería preocuparlos y empecé a aislarme mucho: ya no iba a eventos, evitaba las reuniones con mucha gente porque sentía que me sofocaba, y temía que el tren podía llegar a cualquier hora y cargar conmigo porque era un enemigo que me acechaba constantemente.

Seguí en esa doble vida y dualidad hasta que se me agravó el problema porque empezó a ser difícil para mí estar en público entre otras cosas porque detecté que me alteraban alarmantemente los ruidos fuertes. Me percaté cuando durante un evento los sonidos contrastantes de un video hicieron que se me empezara a detonar un ataque; como pude escapé y literalmente me desaparecí de la reunión para evitar que nadie me viera así porque me daba mucha vergüenza que me pasara eso, prefería estar y padecer sola mi problema antes de que alguien pudiera siquiera imaginar lo que me ocurría.

Mi vida era lo que había soñado. Llegaba a un trabajo de ensueño, era una mujer muy exitosa y popular porque además de todas mis actividades como conductora y reportera de noticias, era socia de un salón de belleza y spa en San Antonio, Texas, así que todo estaba aparentemente bien, pero apenas cruzaba el umbral de la casa y me quitaba la armadura para entrar a ese mundo único que encontraba en mi casa a donde siempre llegaba un monstruo a aplastarme noche a noche hasta hacerme añicos.

Sin embargo, como personaje público era inevitable que llamara la atención y un día el periódico estadounidense más importante de San Antonio reportó que aparentemente Jackeline Cacho estaba enferma porque constantemente estaba en el hospital...

Decidí seguir los consejos del doctor Arcángel de la sala de emergencias, que después de tantas hospitalizaciones se había convertido en un buen amigo, fue el primero que me sugirió buscar la ayuda de un psicólogo. Antes de reconocer que lo ocupaba empecé a auto analizarme porque no me explicaba por qué, si no tomaba alcohol ni consumía drogas me sentía tan mal, constantemente hablaba conmigo misma y me preguntaba frente al espejo: "¿Qué está pasando en ti?".

Finalmente decidí pedir la ayuda de un psicólogo a pesar de que la idea de hacerlo me parecía extraña por la idea equivocada que muchas personas tienen de que solo ocupan su ayuda quienes sufren de desequilibrio mental. Desde la primera cita el doctor me ayudó a entender que mi accidente había sido un detonante pero que no era algo que me iba a destruir, que eso podía pasarme únicamente si no entendía que tenía que tratarme y buscar ayuda.

"Las pruebas llegan para fortalecernos, Dios siempre estará caminando con cada uno de nosotros sosteniéndonos en los momentos más difíciles, no estamos solos"

Jackeline Cacho

El monstruo que me perseguía

Pasé todo un año en tratamiento y para mi fueron los doce meses más difíciles que he experimentado. Todo ese tiempo continué con la doble vida que llevaba secretamente, pero creo que tuve que tocar fondo para encontrar mi luz interna pero inesperadamente en diciembre del 2005 cuando todo empezaba a ir mejor para mí, me involucré en un nuevo accidente de tráfico, aunque en esta ocasión fue otro auto el que golpeó el mío ocasionándome un ataque de pánico inmediato.

Cerré los ojos esperando un segundo golpe, quería gritar, pero la voz no me salía y empecé a sentir que me asfixiaba y por supuesto fui nuevamente trasladada a la sala de emergencias, donde el doctor Arcángel con gran familiaridad me dijo: *"My friend, Do you like to visit me in December, but now you're coming more often?"*, - "Mi amiga, te gusta visitarme en diciembre, pero ahora estás viniendo más seguido."

El trauma que me provocó el segundo accidente hizo que me pusiera fuera de circulación porque me daba terror volver a manejar y durante tres años no volví a conducir auto alguno en diciembre. Seguía sufriendo en secreto y la siguiente vez que llegué al hospital el doctor Arcángel me dijo: *"This is not very normal, you have to fix something in your life"*, -"esto no es muy normal, tú tienes que arreglar algo en tu vida"-.

Decidí finalmente enfrentar al monstruo que me perseguía sin piedad por las noches. Lo hice frente a un espejo cuando me vi reflejada toda mi angustia y lágrimas cubriendo mi rostro: "Si te quieres morir muérete ya! porque esto no es vida, si quieres que te de un ataque deja que te dé pero no te sigas haciendo esto."

Era yo misma enfrentada a Betzabé, mi parte sensible frente a un espejo. Esa noche lloré mucho y me preguntaba: "¿Qué es lo que te pasa?, ¿Qué es tan terrible que te estás destruyendo?, ¿Por qué dejas que llegue ese monstruo y le permites que maneje tu vida, y te agarre y te tire y te sacuda hasta que pienses que todo lo malo te va a pasar? Betzabé es mi segundo nombre y para que ustedes entiendan, de niña todos me llamaban por mi otro nombre, que es para mí la parte más sensible de mi ser por todos esos recuerdos de mi infancia.

Tras desahogarme tirada en mi cama sufriendo intensamente mis problemas empecé a conseguir con gran esfuerzo no ir al hospital, tomé una Biblia que me regaló mi madre y empecé a leer un versículo Salmos 23:1-4 "El Señor es mi pastor, nada me faltara. En lugares de delicados pastos me hará descansar; Junto a aguas de reposo me pastoreará. Confortara mi alma; me guiara por sendas de justicia por amor de su nombre. Aunque ande en valle de sombra de muerte, No temeré mal alguno porque tu estarás conmigo; Tu vara y tu cayado me infundirán aliento". Entonces le pregunté: "¿Y dónde estás?", y empecé a hablar y a llorar con él y por lo menos esa noche empecé a sentirme menos sola al mismo tiempo que comprendí que había algo en mí misma que me estaba destruyendo.

Luego decidí luchar para no volver nunca más a las salas de emergencia, empecé a orar mucho y a tener comunicación con Dios, decidí tomarme una especie de mes sabático sin salir de mi casa, sin hablar con nadie ni hacer absolutamente nada, todo para estar conmigo misma y con Dios.

"Escucha la voz del espíritu, son susurros que te llenaran de paz y tranquilidad en momentos de dificultad"

Jackeline Cacho

Lo que inesperadamente cambió el rumbo de mi destino

Durante esas semanas conmigo recordé detalles de diferentes etapas de mi vida, me emocionó trasladarme en mis recuerdos hasta cuando tenía sólo siete años y viví una de las mejores épocas de mi niñez... Si fuera posible regresar el tiempo me trasladaría al momento cuando mi papá fue a recogerme a la escuela con mi madre, hermanas y Aarón mi hermanito menor para darme una sorpresa.

¡Fue un día tan increíble!... Era maravilloso ver a toda mi familia reunida en el día de mi cumpleaños. Cuando llegamos a casa la encontré adornada como si fuera una gran fiesta, había un colorido pastel en el centro de la mesa y gelatinas de diferentes sabores mientras los olores de la exquisita comida de mamá provocaban el apetito de todos.

Cuando entré a mi cuarto para cambiarme de ropa descubrí que lo habían adornado con vestidos de todos colores que mi padre que acababa de regresar, me había traído de Estados Unidos, los colocaron en las paredes y alrededor de mi cama, y al verme tan feliz papá me abrazó diciéndome "te mereces esto y más por ser mi muñequita, siempre tan aplicada."

Yo ame mucho a mi padre como adoro y amo a mi madre que siempre ha sido una reina en mi corazón, pero como dice mi madre, yo era la niña de los ojos de mi padre porque siempre fui como el genio y figura de Víctor Cacho.

Pero las sorpresas no habían terminado, al acercarse la tarde empezó a llegar gente y me di cuenta que mis padres me habían organizado una hermosa fiesta a la que llegaron mis tíos, tías y hasta mis profesores de la escuela Santa Rosa De Lima, no faltaron ni el maestro Mauro Soto ni mis profesoras, fue un día de verdad inolvidable, hubo payasos y piñata y me sorprendió recibir tantos regalos. Fue el mejor cumpleaños de mi infancia, mis padres querían premiarme porque siempre les traje buenas calificaciones y era una costumbre y compromiso lograr conquistar el primer lugar en conducta y aprovechamiento que tanto los llenaba de orgullo, era mi forma de recompensarlos porque sabía que se sacrificaban mucho para enviarme a una escuela privada.

Esos recuerdos me ayudaron a empezar a curar mi corazón que me hizo recordar también cuando cumplí nueve años y la situación económica de la familia estaba cada vez mejor, mi padre trabajó por muchos años en el aeropuerto transportando pasajeros y ahí conoció a Gary y Scott, un par de norteamericanos con los que decidió asociarse en un negocio de aserraderos de madera en la Selva de Perú y gracias a eso la situación económica de casa había mejorado notablemente porque mi papá empezó a ganar en dólares.

Viajaba constantemente a la selva peruana y empezó a hacer mejoras y construir nuevas áreas en nuestra casa, estaba feliz, las cosas iban de maravilla pero Carmen mi madre siempre vivía preocupada de la salud de mi padre porque a pesar de tener una energía de acero y ser hiperactivo sufría de alta presión y no le gustaba ir al doctor para controlarla.

Cuando cumplí 11 años casi había terminado la construcción de la casa, tenía tres pisos y una linda pequeña piscina en el patio, nosotros éramos de clase media trabajadora y lo que más querían mis padres eran darnos una mejor vida pero la comodidad tuvo su precio y también el descuido de mi padre...Recuerdo claramente un día de mayo que mi padre no llegó a cenar. Yo le preguntaba por mi papá a mi mamacita que solo me dijo para tranquilizarme: "ya viene, tuvo una reunión con sus socios, pero las horas corrían una tras otra y él no llegaba.

Lamentablemente durante todos esos recorridos que hice a mi pasado los recuerdos dolorosos también acudieron a mi llamado porque debía encontrar los motivos de mis ataques de ansiedad y pánico... Volviendo a mis memorias claramente recordé cuando mi padre regresó ese día... Tocaron la puerta y escuché gritar a mi madre al ver que los amigos de mi padre lo traían apoyado en sus hombros ayudándolo a caminar porque decían que de pronto se había puesto mal y que en lugar del ir al hospital él les había pedido que lo trajeran a su casa.

Vi lágrimas en los ojos de mi padre, yo lloraba abrazando a mi madre preguntándole desesperada: "¿Qué le pasó a papi?, ¿Qué le pasó?, Y es que él no podía responderme, parecía que había tomado en exceso pero mi padre nunca tomaba de más y mucho menos cuando trabajaba.

Mi mamá me dijo: "por favor Jackie, dile a tu papá que tenemos que hospitalizarlo para que lo atiendan", yo no quería decírselo, pero era a la única a la que mi padre le hacía caso porque era su "muñequita." Yo a mis 11 años me puse de rodillas y le dije: "Papito, por favor tienes que ir al hospital."

La ambulancia había llegado a recogerlo, le di un beso en la frente y le dije: "papi no te tardes, regresa pronto" ... Los paramédicos lo subieron a una camilla para trasladarlo, esa fue la última vez que pude ver a mi padre casi sano. No quería soltar mi mano y me pedía:

"no dejes que me lleven", pero tenían que atenderlo. Nos quedamos todos en casa llorando...no sabíamos qué le había pasado.

Mi padre fue internado en el hospital del Lima, había sufrido una trombosis porque las arterías en el cerebro se le habían tapado y debían someterlo a una peligrosa cirugía para retirarle un coágulo de sangre que se le había alojado en el cerebro, la operación era de vida o muerte por lo que no se la pudieron realizar.

Quedó en cuidados intensivos durante dos meses de llanto y zozobra, de no ver a mi adorada madre, de no volver a sonreír porque no podía explicarnos con claridad lo que pasaba a papá. Lo único que hacia mi madre era pedirle a Rebeca la señora que nos cuidaba y que vivía con nosotros nos cuidara mucho, ella salía desde muy temprano y se iba al hospital. Su vida era venir a ver que estábamos bien y corría a pasar día y noche al pie de la cama de papá.

Lo dieron de alta cuatro meses después pero ya nada fue igual, fue impresionante verlo llegar en silla de ruedas. El hombre que antes lo podía todo dependía de todos para poder movilizarse, había perdido mucho peso, no podía hablar, ni siquiera podía comer solo, yo casi no lo reconocía, pero cuando me vio lo abracé y me puse a llorar en sus piernas deseando que mi padre adorado estuviera dentro de ese hombre que ahora no podía hablar ni moverse.

Evidentemente papá seguía muy delicado y ocupaba nuestros cuidados. Nuestra vida cambió de la noche a la mañana. Mi madre que nunca había trabajado se quedó desamparada con tres mujeres adolescentes y un pequeño hijo varón.

Un día mi madre tuvo que hablar con nosotros y explicarnos que ya no podíamos seguir en escuela privada y que con mucha pena tendríamos que ser transferidos a una escuela pública. Al día siguiente fui hablar con mi tutor el profesor Mauro Soto Diego a quien le pedí llorando: "¡por favor ayúdeme, no sé qué hacer!", él siempre fue muy considerado conmigo porque el Colegio Santa Rosa De

Lima me vio crecer, incluso yo fui por muchos años la imagen de Santa Rosita por eso hicieron todo para lograr ayudarme.

El profesor Mauro me dijo que la única manera de mantenerme en la escuela era dándome una media beca escolar por mis buenas calificaciones, algo que nunca había sido problema ya que por años siempre tuve el primer lugar académico en mi salón, pero ahora era un requerimiento y tendría que hacerlo.

Puse todo mi empeño en lograrlo, estudiaba día y noche, me enfoqué en mis estudios, era mi forma de desahogarme para mantener mi beca, superarme y ayudar a mi padre.

Por su parte Carmen, mi hermana mayor estudiaba y trabajaba ayudando a la familia, los socios de mi padre apoyaron por un tiempo a mi madre pero realmente todo lo que mi papá había logrado se fue desvaneciendo porque ni mi madre ni mi hermana sabían nada de su negocio.

Poco a poco se fueron vendiendo las máquinas, los autos, se cerraron las oficinas en la selva y todo el dinero recibido se gastaba en comprar medicinas para mantener el tratamiento de papá y continuar su rehabilitación.

Luego del primer año de enfermedad mi madre empezó a vender muchas cosas que había en la casa para pagar la terapia de mi padre quien había perdido la habilidad de comer, hablar y caminar. Era muy triste ver a "mi gordito" como yo le decía siempre, sufrir en silencio y no poder hacer nada para ayudarlo, solo darle el máximo amor que podíamos pero era casi imposible evitar el dolor que él sentía.

Mi padre sufrió mucho y su recuperación fue muy lenta. Le tomó casi dos años poder pronunciar unas palabras. Nunca pudo volver a pronunciar frases completas y aprendió a comer con el brazo izquierdo porque el derecho lo tenía inutilizado afectado por la parálisis. Tampoco dominaba su pie derecho y en tres años su autoestima se destruyó. Cuando pudo volver a caminar fue con la ayuda de un bastón y mi padre cayó en el más profundo pozo de la depresión y frustración.

No era ni la sombra de lo que fue pero su amor estaba en una parte muy secreta de su corazón que había sido tan golpeado. Él siempre me abrazaba, yo me quedaba a ver con él sus películas favoritas, pero sufría al ver que no había nada que pudiéramos hacer para cambiarle la realidad que enfrentaba. Fue un tiempo muy difícil, muchas noches me quedé dormida llorando con él.

Mis hermanas y yo nos esmeramos en aprender a hacer los masajes de rehabilitación necesarios para la terapia de mi padre, mi madre siempre se los hacía y pensé que si aprendía a hacerlos podía ayudarlo a algún día volver a caminar y hablar como antes, eso nos sirvió mucho porque cuando ya no pudimos pagar un terapista, éramos nosotras las que lo cuidábamos.

Debo confesar que no fue nada fácil porque había momentos en que él lo único que quería era morirse y lo decía, no deseaba comer, tiraba sus pastillas y lloraba como un niño.

A todos se nos partía el alma al no poder hacer nada, porque su enfermedad la vivió él pero la tristeza y depresión nos la traspasó a todos.

Esos tratamientos eran muy difíciles para él porque es muy doloroso dar masaje a áreas del cuerpo donde no circula muy activamente la sangre, y para nosotros porque a pesar de estar tratando de ayudarlo lo hacíamos sufrir.

Como a pesar de nuestro esfuerzo no pudimos lograr que papá se recuperara y de alguna forma eso hizo que me culpara por mucho tiempo. Siempre pensé que si hubiera tratado un poco más, si le hubiera dado más amor y atención mi padre no hubiera deseado morirse como lo anheló tanto tiempo.

Pero a pesar de que la enfermedad de mi padre nos había golpeado, emocional, financiera y sicológicamente, nos unió espiritualmente como muy pocas familias que haya conocido nunca y es que todo lo que podíamos reunir lo compartíamos, todo lo que podíamos ganar era de todos, comíamos juntos, si comprábamos un par de zapatos o un vestido nuevo lo hacíamos cuando había para todos, nunca mi madre compraba solo para uno.

Recuerdo que cuando llegaban las fiestas patrias de Perú, una fecha que siempre fue muy significativa para nosotros, porque se recibían las calificaciones de la escuela y tomábamos unas semanas de vacaciones, pues mi padre nos acostumbró que en recompensa de nuestros estudios siempre compraban algo para todos y salíamos a algún lugar divertido, la feria del hogar, a la playa o a comer a un buen restaurante.

Cuando mi padre se enfermó esto ya no podía ser así pero no importaba, nosotros comprábamos algo para mamá y para papá y preparábamos una rica comida que todos juntos compartíamos, porque a pesar de las circunstancias lo valorábamos todo y siempre había para celebrar en familia.

Mi madre "Carmencita" como le decía papá, luchaba cada día por nosotros y para que el dinero alcance, mi madrecita nos dio todo el amor que pudo, sacrificó lo que solo una madre puede, siempre le estaré agradecida pues ella de la mano de Dios nos sacó adelante. Mientras tanto mi hermana Carmen, la mayor, fue la primera en viajar a Estados Unidos siempre nos ayudó ella siempre fue mi modelo a seguir. Mi hermana Patty fue siempre como una pequeña madre con nosotros, ella fue la que se encargó de cuidarnos a mi hermano y a mí durante el tiempo que mi madre solo se dedicaba a cuidar a mi padre en su rehabilitación, siempre estaré agradecida con mis hermanas que tanto amor me dieron y que cuidaron por nosotros los menores.

Mi hermanito Aarón era el bebé de la casa por el que mi padre había luchado tanto para tenerlo porque siempre quiso tener un hijo hombre, pero por los sarcasmos de la vida nunca verdaderamente lo disfrutó, sin embargo, mi padre sufría mucho al ver que él no podría ser el padre que tanto quiso ser para su hijo porque mi hermano Aarón nunca pudo disfrutar de su padre sano porque siempre creció con un padre enfermo...

Volvía a mi realidad en mi casa en San Antonio durante los largos y muy dolorosos recorridos a los momentos más desgarradores de mi pasado y trataba de saber cuántos días y noches había permanecido a solas recordando toda esa etapa de mi vida...

Me daba miedo recordar más, pero era inevitable saber que a pesar de las difíciles vivencias que acudían a mí destrozándome el alma, había cosas aún más duras de recordar y para mí era necesario recorrer paso a paso los momentos más difíciles de mi vida para lograr vencer mis ataques de ansiedad y pánico que estaban destruyendo mi presente y que iban a consumir mi futuro, y regresaba a mis archivos emocionales que estaban ocultos en esa mochila que he cargado toda mi vida, y en la que volvía el recuerdo de mi padre más presente que nunca...

Mi padre nunca mejoró en su totalidad, y en lugar de disminuir el dolor de todos aumentó porque su desesperación y tristeza lo llevaron a caer algunas veces en el alcohol, era muy triste ver como en lugar de ir saliendo de ese gran pozo en que caímos desde que yo tenía 11 años, se fue hundiendo más y más.

Vivía en constante depresión, estaba muy afligido por todo lo ocurrido, para él fue un golpe terrible ver a su bella esposa sufrir tanto y tener tantas responsabilidades y que las princesas de su casa tuvieron que aprender a ganarse la vida, que Carmen su hija mayor tuvo que salir del país para crecer y buscar su destino, que su hija Patty tuvo que cuidarnos a temprana edad y dedicar su juventud a nosotros, que su pequeña princesa comenzó a trabajar desde muy joven y que nunca pudo disfrutar a su hijo varón.

El tiempo que seguía siendo muy difícil no se detenía. Yo ya era una adolescente a punto de cumplir quince años cuando mi madrecita me dijo que por mis buenas calificaciones me merecía una fiesta. Yo nunca esperé una celebración así porque sabía que eso costaba mucho dinero, pero mi madre siempre lo sacrificó todo por nosotros y gracias a ella tuve esa hermosa fiesta un recuerdo que atesoro en mi corazón y que jamás olvidaré como tampoco olvidaré la sorpresa que mi hermana Carmen me había enviado de Estados Unidos un vestido blanco ¡tan lindo!... que hasta parecía salido de un cuento de hadas.

Mi mamá me dijo que sus hijas siempre habían celebrado sus quince años y que ahora no sería la excepción, yo veía a mi padre que no estaba muy feliz con la decisión y sabía que era porque él no podría bailar el vals conmigo como era costumbre, ni tampoco hacer el discurso de presentación como lo realizan todos los padres. Le supliqué llorando que procurara aprenderse algo que practicamos varios días, pero mi padre me dijo que si él se ponía nervioso como era costumbre, su hermano Manuel lo haría en su representación.

Llegó por fin el día de mi linda fiesta... como era costumbre toda la familia y los amigos más allegados fueron invitados... Unos minutos antes de la media noche se hizo silencio para que yo saliera de la mano con mi padre que estaba más nervioso que yo. Su brazo temblaba porque no podía caminar, su pierna derecha se le comprimía de nervios y su tobillo le impedía realizar pisada. Fue muy difícil, yo le dije: "papi tú puedes, recuerda estamos aquí tú y yo."

"Si sabes de dónde vienes siempre sabrás a dónde vas, nunca reniegues de tus orígenes por más difíciles que hubieran sido, siéntete orgulloso (a) de dónde eres pues esa será la base de TÚ triunfo en la vida"

Jackeline Cacho

Víctor Cacho, papá de Jackeline en su fiesta de 15 años

Mi Familia, mi razón de luchar cada día

Mi padre salió conmigo y solo dijo: "les presento a Jacky, mi muñequita...", no pudo contener el llanto y contagió a casi todos los invitados... Yo lo abracé y su hermano, mi tío y padrino Manuel tomó el micrófono. Reforzando las palabras de mi padre, fueron momentos muy difíciles, pero luego solo dimos unos pasos en el vals acostumbrado y él se sentó. Yo miré a mi padre y le dije: "Gracias papi, gracias todo está bien gordito, no te preocupes."

Su mirada era de una gran nostalgia y tristeza que solo él y yo sentíamos, sabía que se quedarían grabados en mi corazón por el resto de mi vida esos momentos en los que no fue necesario decir nada, con una mirada y la fuerza de su mano me dejó para siempre el sentimiento de no querer soltarme nunca.

Volviendo a mi realidad me di cuenta que parte de mis ataques de pánico habían sido sembrados desde mi niñez de toda esa tristeza acumulada que se había fincado en mi corazón de tanto dolor que viví con la enfermedad de mi padre en ese momento empecé a experimentar uno de los ataques de ansiedad más intensos que había vivido hasta ese instante y me dije a mi misma que tenía que seguir limpiando esos recuerdos que me estaban destruyendo...no podía detenerme porque lo más intenso estaba por venir Ese recuerdo me hizo llorar tanto como el evocar un sueño que tuve en diciembre de 1989 apenas unos días antes de navidad, cuando tuve la que hasta ahora ha sido la peor pesadilla de mi vida. Me levanté gritando muy asustada y no lograba dejar de llorar. Mi hermana Patty se despertó y vino con mi mamá para ver si estaba bien, me despertaron y salí corriendo al cuarto de papá, aunque mi madre me insistía que todo estaba bien, pero yo tenía que ver a papá y fui a abrazarlo muy agitada.

A la hora del desayuno mi padre me preguntó entre su medio hablar y con señas qué me había pasado que me había levantado tan sobresaltada a mitad de la noche, yo dejé de desayunar en ese instante porque el hambre se me desvaneció y rompí en llanto al explicarle: "papito, te vi muerto", él me miro y me preguntó: ¿Cómo fue?, yo le dije que había visto mucha gente cargando un féretro y que cuando me acerque lo vi a él dentro y me puse a llorar porque no quería dejarlo ir. Mi padre me abrazó y se puso a llorar, me dijo que ahora sabía que se iría pronto, yo le dije que sólo había sido un sueño, que lo olvidara por favor.

Pasaron los días, llegó navidad y año nuevo que él se pasó sentado en la sala escuchando su música favorita de Pedro Infante. Yo le dije: "Papito es año nuevo, verá como todo va a ser mejor, acuérdese, nos vamos a ir lejos, yo se lo prometo. Fue nuestro último año nuevo todos juntos como familia. Era un año difícil, la violencia en Perú era cada vez peor, aunque había esperanza con el nuevo presidente que estaba por llegar: Alberto Fujimori.

Llegó enero y en el Instituto Columbia de Aviación Comercial donde estudiaba hubo un llamado solicitando aeromozas para la Fuerza Aérea, apliqué de inmediato igual que más de 300 postulantes. Durante un mes hubo diversas pruebas y exámenes hasta que varias semanas después seleccionaron sólo a un grupo de quince para un entrenamiento de dos semanas, de las que elegirían a siete.

El 09 de febrero recibí la ansiada noticia de que sería contratada como aeromoza de la Fuerza Aérea Peruana. Fue el día más feliz que había tenido en mucho tiempo, regresé a casa desbordante de alegría a compartir la gran noticia a mamá y papá que de inmediato se puso a llorar de emoción y orgullo, nos miramos profundamente y le dije que quién iba a imaginar que yo volaría en los aviones que él rentaba para la selva cuando tenía su compañía. Sería la aeromoza más joven en ese tiempo en las aerolíneas, mis padres tendrían que firmar autorizando mis papeles de trabajo.

Pasaron varios días de esa gran noticia mientras hacía los trámites correspondientes para sacar mis documentos y licencia de vuelo, así como algunos exámenes de salud. El 19 de febrero me citaron para recoger mi licencia de vuelo, me levanté muy temprano, tomé un rico desayuno con mi padre quien siempre me acompañaba y le pedí que fuera conmigo a la puerta para que me diera su bendición y caminó conmigo hasta la esquina de la casa donde después de darnos un gran abrazo le prometí regresar pronto.

Levantaba su mano despidiéndose y sentí tanta nostalgia que quise regresarme varias veces porque algo en mi interior me decía que no debía irme, pero me fui alejando hasta que nos perdimos de vista, y me prometí apurarme y regresar rápido, pero me retrasé en la oficina de aviación civil entregando papeles y tomando las fotografías de mi identificación; vi mi reloj y era casi medio día, pensé que mi papá me debía estar esperando para comer juntos así que decidí apresurarme.

Hacía un calor que nunca había sentido, me sentía muy sofocada... tenía tanta prisa que decidí abordar un taxi y en el camino pensé en lo bueno que sería mi nuevo trabajo para ayudar a mi familia y en especial a mi padre. Al llegar encontré a mamá cocinando muy tranquila, me dijo que papá se había ido a distraer un poco con unos amigos así que decidimos comer la rica carne asada con puré de papas y arroz que mami había preparado sin imaginar que ese sería el último día que comería carne roja en toda mi vida...

Entonces sonó el teléfono, corrí a contestar y era mi tía, la esposa del hermano de papá, me preguntó por él y le dije que había salido, entonces me dijo: "hijita tienes que ser muy fuerte" ... esas palabras hicieron que un escalofrío de miedo me recorriera el cuerpo, me dijo que acababan de llamarles para decirles que papá había muerto.

Traté de no expresar nada para no asustar a mi madre con la ilusión de que no fuera cierto, le pedí la dirección mientras la triste noticia que acababa de darme resonaba como en un eco silencioso en el fondo de mi corazón, luego mi tío tomó el teléfono y me explicó que no me asustara, que no era seguro. Colgué y vi a mi madre frente a mí, tuve que decirle que parecía que papá se había puesto mal, ella enseguida empezó a llorar exigiéndome la verdad. Yo no lloraba por miedo de que algo le pasara a mi madrecita, llamé a mi hermana Patty y le pedí que nos alcanzara en la dirección que acababan de darme, ella presintió lo peor y se puso a llorar también, entré y vi a mi hermano en su recámara jugando Nintendo, le pedí que nos esperara que regresaríamos pronto y que por favor comiera.

Mamá era un mar de lágrimas, abordamos un taxi y abrazándola muy fuerte le pedía que tuviera fe mientras en mi cabeza resonaban como una sentencia las palabras de mi tía: "Está muerto... ¡muerto!" ... Sentí que los veinte minutos que nos separaban del lugar eran eternos, le pedí al chofer que se estacionara unas cuadras antes de la dirección porque tenía pánico de lo que íbamos a encontrar, no sabía qué decirle a mamá, pero no dejaba de rezar rogándole a Dios que no fuera cierto.

Cuando el taxi se estacionó le pedí a mi madrecita que me esperara, que yo iría a ver qué había pasado, al acercarme vi a un tumulto de gente, así como una ambulancia y una patrulla, temblando me acerqué como en cámara lenta, sentía mucho miedo, tristeza, desesperación y frustración porque no podía hacer nada. Al llegar lo vi, corrí a abrazarlo cuando los policías me quisieron parar les dije que yo era su hija.

Sus ojitos abiertos llenos de lágrimas estaban mirando al cielo, tenía una mano tocándose el corazón y de la otra se le había caído el helado que no alcanzó a comer, lo abracé muy fuerte y sentí que su corazón aún latía, a gritos les pedí a los paramédicos que lo revisaran porque todavía estaba vivo, mi papá está vivo... ¡Está vivo! Ellos lo hicieron, pero me dijeron que lamentablemente mi padre estaba muerto, que probablemente había tenido un ataque al corazón por el calor que hacía.

Lo abracé de nuevo y le cerré sus ojitos, le pedí perdón por no haber llegado a tiempo sintiendo que si hubiera llegado más temprano mi padre hubiera estado en la casa y nunca hubiera salido. Nunca imaginé esa mañana al despedirnos que me estaba despidiendo de papá para siempre porque esa fue la última vez que lo vi con vida.

Pero no era momento de llorar, tenía que regresar con mamá que me estaba esperando en el taxi, no sabía cómo regresar y decirle que su compañero de toda una vida se fue sin despedirse. Cuando la vi le dije que tenía que ser fuerte y que lo tomara con calma y ella se puso a llorar como una niña desconsolada, le dije que papi ya estaba bien porque no sufriría y ella no dejaba de preguntarme y ahora qué haría sin él.

Entonces llegó mi hermana Patty que quedó igualmente destrozada al saber la noticia, regresamos a casa y mi madre se vistió de negro, yo cumplí mi palabra y me vestí de blanco, porque mi padre nos había hecho prometer desde años antes que cuando se fuera no quería que fuera un día oscuro sino lleno de luz. Mi hermano se encerró en su cuarto cuando supo la noticia y de ahí en adelante fue como una película en blanco y negro. Fue mi hermana Patty que se encargó de todos los arreglos funerales y yo me quede en casa organizando todo para cuando trajeran a mi padre.

El tiempo fue lento, muy lento, mi madre no dejaba de llorar y Patty estaba igualmente desconsolada, yo no derramé una sola lágrima para ayudarlas en ese momento tan duro que estábamos viviendo, hablé con mi hermana y le dije que teníamos que ser fuertes las dos porque mamá estaba muy mal, para nosotras era nuestro padre, para ella era su compañero de toda la vida.

Llegó muchísima gente para acompañarnos en el velorio y funeral, mi casa estaba llena de familiares, amistades y gente de la iglesia orando, era muy difícil ver el féretro de mi padre. El día de su último adiós fue muy triste y obscuro porque vi que lo que pasaba en ese momento era idéntico al sueño premonitorio que había tenido sobre la muerte de mi padre hacía muy poco tiempo, luego me desmayé y fue lo último que recuerdo.

Pasaron días, semanas y meses y mi madre iba de mal en peor, teníamos miedo de que muriera de tristeza. Fueron días muy largos y noches muy solas, estábamos muy angustiadas por ella que dedicó su vida a nosotros. Yo nunca pensé que existieran los amores para siempre pero el de mis padres fue uno de ellos al extremo que hasta el día de hoy mi madre dice que algún día se encontrará con él.

Volviendo a mi realidad me sorprendió descubrir que el trauma por el doloroso recuerdo de la partida de mi padre era lo que me perseguía. Encerrada en mi habitación en San Antonio, Texas. Finalmente pude llorar por su partida y desahogar todos mis sufrimientos que había guardado en lo más profundo de mi ser por muchos años y que hasta este momento pude liberar. Luego empecé a orar mucho hasta lograr una comunicación directa con Dios que me hizo sentir que arriba hay algo más grande que uno mismo que maneja y creó nuestras vidas con un propósito. Entonces tuve sueños preciosos, lo que hacía que pensara que ahora si estaba enloqueciendo de verdad, pero mi espiritualidad interna empezó a brotar más allá de mi físico. No lograba detener mi llanto de total desconsuelo al comprender por fin lo que el psiquiatra me había explicado y sentí que la raíz de mis ataques de ansiedad y pánico fueron provocados por haber visto y sentido morir a mi padre entre mis brazos cuando era tan jovencita, lo que me provocó un dolor que llevé cargando todo el tiempo en mi mochila emocional que se hizo más pesada luego de tantas vivencias, miedos, problemas, mi divorcio, la separación de mi familia al emigrar a Estados Unidos y que mi dos accidentes fueron la bomba que explotó Mi Mochila Emocional porque ahí cargaba también otros dolorosos archivos de cosas que me hicieron daño porque yo lo permití.

Fue después de mi segundo accidente que me di cuenta que tenía que limpiar todos mis archivos emocionales, lo que no significaba romperlos y olvidarme de ellos, tampoco se trata de escribirlos en un papel para quemarlos después, yo los lloré, los analicé segundo a segundo asombrada de que hubieran pasado tantos y tantos años y que yo siguiera cargando recuerdos tan dolorosos en esa mochila emocional. Más sorprendente aún es que yo permitiera que siguieran haciéndome tanto daño internamente, comprendí que las raíces de mis más grandes problemas están situados en mis más grandes temores, reflexioné en que debido a que mi papá y sus hermanos murieron de un ataque al corazón, tenía pánico de que a mí me pasara lo mismo.

También recordé como si acabara de pasar no solo el dolor de haber perdido a uno de los seres que más he amado en mi vida, también el reto que significó salir adelante solas apoyadas por mi madre, una mujer que admiro por su fortaleza y determinación de sacar adelante a sus hijos con amor y fe en Dios, por eso, aunque parecía un sueño decidí cambiar el rumbo de mi destino...

"La familia es el regalo de Dios más valioso que tienes, protégela siempre, será la inspiración que te motive a cumplir tus metas"
Jackeline Cacho

Volando alto

Con todo el dolor que sentía empecé a trabajar en la Fuerza Aérea de Perú viajando en los vuelos presidenciales con el entonces Presidente Alberto Fujimori, y vuelos de apoyo para las ciudades más necesitadas de nuestro territorio nacional aprendí mucho de política y tuve la oportunidad de asistir a varias cumbres entre países. Empecé además a modelar y a salir en un programa llamado "Triki- Trak" que pasaba los fines de semana en la cadena América Televisión. Dios me estaba guiando lo mismo que mi madre con todas sus oraciones.

No estaba mal el dinero que ganaba en mis dos trabajos, pero era difícil porque además de ayudar a mi familia pagaba mi carrera de Comunicaciones y Periodismo que inicié en la Universidad como era mi sueño, caro y difícil, pero no imposible.

Hasta que conocí en un desfile de modas a la ex Miss Perú, Irma Vargas Fuller, representante del concurso Miss Perú, quien al verme modelando en el Latin *Model*

Pageant de "Caretas", la revista que en ese entonces era la más popular del país le pidió autorización a mi madre para entrenarme y enviarme a concursos internacionales de belleza y como fue un éxito me llevaron a viajar por todo el país.

Mi sobreprotectora madre me lo permitió, pero, aunque yo no siempre estaba de acuerdo me acompañaba porque tenía razón, en ese negocio existen cosas falsas, peligros y experiencias que pueden marcar de manera negativa la vida de una jovencita. Yo escuchaba sus consejos y le pedía a Dios que cuidara mi camino.

Por fortuna a esa edad yo estaba muy clara tanto en mis principios como en mis ideales y siempre le decía a mi mamá que a mí me había cambiado la vida el modelaje porque para mí más que modelar era expresar mi manera de ser. Reflexionaba en cómo, aunque las modelos no hablan, expresan su manera de ser en la pasarela y me daba cuenta de que había muchas muchachas de mi edad que querían ser modelos, pero también me di cuenta de que las jovencitas pierden muchos valores en ese camino en su intento de alcanzar las pasarelas o la fama.

En contraste yo siempre fui una jovencita muy tradicional y conservadora, usaba faldas largas y cuello alto y estando en Perú me catalogaban como una modelo europea pero era simplemente por mi manera tradicional de pensar lo que me ayudó a captar la visibilidad de diversas agencias como modelo.

Cuando veo los videos de mi participación en los concursos de belleza, me sorprende ver y escuchar la madurez con la que contestaba. Tenía entre 17 y 19 años y me expresaba como una mujer de 25 o 30 porque mi cuerpo era más joven que mi mente.

Hoy comprendo que fue por todo lo que me tocó vivir de los once a los diecisiete años y las difíciles vivencias que me hicieron madurar a pasos agigantados y eso significó una herramienta muy poderosa en mi carrera porque cada vez que me paraba en un escenario, micrófono, canal de televisión o estaba sirviendo de aeromoza, mi personalidad era de una mujer de más edad y eso hizo que me empezaran a respetar también en los medios de comunicación.

Así fue como me eligieron para representar a mi país como Miss Perú Internacional en dos concursos de belleza, uno en el Carnaval de Barraquilla en Colombia y el segundo en Ecuador Machala, en un Reinado Mundial de la belleza donde participaban todos los países productores de plátano. Mi popularidad comenzó a crecer y empezaron a llegar las ofertas de ingresar al mundo de la televisión y la oportunidad de salir en diversas revistas.

Luego decidí fundar "Etiqueta Social un modo de vida", mi primera compañía no sólo para aprender modales porque para mí la etiqueta es una forma de vida, por esto estructuré un exitoso curso para damitas además de un seminario de conferencias que promoví alrededor del país, además de sacar "Un Modo De Vida", segmento televisivo en el programa de medio día con una reconocida conductora de televisión por aquellos días donde hablábamos de diversas conductas femeninas.

De allí viajé a Ecuador donde tuve la fortuna de que me ofrecieran un contrato de modelaje en Estados Unidos. Así fue que decidí dejar todo por tratar de alcanzar el sueño americano. Fui a la tumba de mi padre a decirle que cumpliría lo que le prometí, que nos iríamos del país para tratar de tener una vida más tranquila, que por favor me acompañara en espíritu para guiarme y ayudarme y no tengo duda de que él ha estado conmigo desde siempre.

Fueron tiempos muy intensos porque mi madre, aunque no deseaba separarse de nosotros, sabía que teníamos que emigrar como las aves cuando buscan su destino. Además, en ese tiempo en Perú había mucha criminalidad, era muy peligroso porque había muchos asaltos y los secuestros eran un temor latente, además por el trabajo que desempeñaba temía estar expuesta a que algo me pudiera suceder. Me daba temor porque fueron años en los que el terrorismo estaba en su apogeo en Perú, un tiempo en el que acababa de comprarme mi primer auto y los oficiales me paraban en cada esquina y me ponían una pistola o metralleta al costado de mi cabeza pidiéndome mi identificación. Era algo traumático porque no sabía si se trataba de oficiales, terroristas o delincuentes, si tenías que darles un dinero para que te dejaran ir y definitivamente ya no podía seguir viviendo en esa situación.

Sumado a eso, aunque no me iba mal por el hecho de tener dos trabajos, más lo que ganaba en el curso de "Etiqueta social" que había creado e impartía en tres turnos a jovencitas en cursos de verano en el Club Social de la Marina.

En cada turno tenía entre treinta y cuarenta alumnas a las que les enseñaba no solamente a caminar, a vestirse y a comportarse, también a comer correctamente en la mesa, a poder hablar en público, a respetarse como mujeres, a hablar con sus padres de temas difíciles pero importantes como jovencitas para que valoraran y buscaran la relación entre padres e hijos que podían crear si se lo proponían.

El tiempo paso y mi meta se cumplió, marcharme a Estados Unidos y lo logré con visa de trabajo, esto gracias a las oraciones de mamá quien me decía que aunque pareciera imposible, para Dios no había nada imposible, y si lo hice también fue pensando en mi familia, principalmente después del terrible ataque terrorista del grupo "Sendero Luminoso" el 16 de julio de 1992 cuando decidimos alejarnos de la inseguridad luego del atentado en la Zona Comercial de Miraflores que provocó la muerte de niños, adultos, ancianos, mujeres y personas inocentes que transitaban para irse a su escuela, o trabajo, no entendía que pasaba en mi país, una tierra hermosa de montes y llanos que inspiran a poetas, pero que no frenan a criminales a continuar destruyendo mi lindo Perú.

"Ten diligencia de saber con quién te rodeas, pues en algún momento terminarás pareciéndote a tú entorno"
Jackeline Cacho

**Una maravillosa experiencia representar a mi país
Miss Perú Internacional**

Miss Perú Internacional En el reinado de Ecuador

En Colombia Reinado Internacional / Miss Perú Internacional

**El Éxito de Jackeline en pasarelas, concursos y
cursos de etiqueta social**

Jackeline Cacho en Perú una aeromoza de alto vuelo

El gran día de la verdad llegó: Jackeline tenía que enfrentar sola su camino con destino a los Estados Unidos todavía recuerdo esa fragancia que mi madre solo puede regalarme en un abrazo...

El día que me fui le di un abrazo a mamá y no la soltaba porque no quería dejarla, sentía que con ella se quedaba mi corazón porque es mi más grande tesoro, mi gran amiga y confidente y ya no la iba a tener cerca, tenía mucho miedo de no volver a verla pero solo me quedó confiar en Dios y les prometí a Patty y Aarón que les daba mi palabra de que pronto estaríamos todos juntos en Estados Unidos.

Esa promesa me la hice a mí misma. En el avión lloré durante todo el viaje por todo lo que dejaba y por la incertidumbre que me esperaba. Había decidido formar una vida diferente, pero tenía miedo por no saber el idioma, por llegar a trabajar de modelo en un país tan competitivo, tenía pánico, pero era mayor mi temor de seguir en un país lleno de inseguridad con un futuro incierto.

Al llegar a Miami, Florida, le di gracias a mi Padre Celestial que me dio la oportunidad de ingresar con Visa al gran país de las oportunidades, estaba feliz porque logré un contrato en Estados Unidos como modelo y cuando me sellaron mi pasaporte con el permiso de trabajar allá brincaba de gusto y gritaba: "¡Esto yo lo pedí!", aunque en aquel tiempo no comprendía que había sido un decreto, y había trabajado tan fuerte para conseguirlo que Dios y el Universo me había recompensado.

Me recibieron y los días y meses pasaron lentos, cargados de nuevas emociones, la compañía por la que había sido contratada fue maravillosa y a pesar de eso tenía mucha tensión principalmente por la nostalgia, padecía lo que los americanos llaman *"homesick"* o enfermedad de casa, gastaba mucho dinero en teléfono porque había noches que no podía dormir y hablaba mucho con Carmen mi adorada madre y amiga, la extrañaba mucho a ella y a mis hermanos.

Cada día trabajaba mucho más pero un gran obstáculo que tenía era no hablar inglés. Pasaron los meses y empecé a buscar otra agencia de modelos para que me contrataran y expandir el tiempo de mi visa, nunca pensé que eso iba hacer tan difícil...

Entre un recuerdo y otro volvía a mi "vida en San Antonio", aunque esas dolorosas vivencias del pasado se agolpaban en mi mente ayudándome a aliviar y dominar el miedo, era verdaderamente horrible saber que cada noche ese monstruo misterioso me amenazaba con volver para intentar aplastarme...

Empezaba a entender que son muchas las cosas que venimos acumulando a lo largo de la vida que llenan el vaso hasta que se derrama, o como yo digo llenamos tanto pero tanto en nuestra "Mochila Emocional" que se hace imposible cargarla como me pasó a mí, por esto es que decidí anotar todas mis reflexiones porque estaba decidida a curarme para siempre de mis ataques de pánico y salir adelante, tenía que cumplir la promesa que le hice a papá, y volver a tener a mi familia unida.

"Nunca permitas que una difícil realidad cambie tus metas por más dificultad que estés enfrentando, no durará toda la vida, está en ti cambiarlo"

Jackeline Cacho

Concurso en Colombia con todas las reinas

**Desde temprana edad Jackeline en las pasarelas y su compañía
de Etiqueta Social**

85

Modelo de portadas y firmas exclusivas

CARETAS la revista nacional de PERÚ

Jackeline Cacho

Promociones de navidad para las revistas en autos de competencia

**La cantante Rocío Jurado entregándole un reconocimiento en
Colombia a Jackeline Cacho**

"Pertenezco al Grupo 8 de la Fuerza Aérea Peruana"

El Periodista Luis Tobar de OPINION entrevista a Jackeline Cacho

Jackeline Cacho reina de belleza y aeromoza de la fuerza aérea peruana

En Colombia de reina con promociones de firmas nacionales

El traje típico que ganó la noche de concurso en barranquilla Colombia

Jackeline Cacho

Una carrera larga de mucho sacrificio y esfuerzo que dieron grandes resultados en la vida de Jackeline Cacho

Al encuentro de mi nueva vida

Era precioso el departamento en Coral Gables con vista al mar de Miami al que llegué cuando me mudé de Perú para intentar triunfar en el país de las oportunidades, lo compartía con otras modelos de diferentes países contratadas para promocionar diversos productos con los que los exportadores pretendían incentivar el comercio internacional, todas tenían más experiencia que yo en diversos aspectos, principalmente porque me había tocado enfocarme en salir adelante y estudiar por la difícil situación a que nos condujo la enfermedad y posterior muerte de mi padre.

Había modelos europeas y latinoamericanas muy lindas pero eran muy diferentes a mí, yo era la menos experimentada en este negocio del modelaje, porque aunque había trabajado como aeromoza internacional y conductora televisiva mi personalidad era distinta a la de ellas, creo que ese fue el motivo por el que empecé a meterme dentro de una caparazón como protección de todo lo que me rodeaba, porque mientras yo tomaba un refresco o agua, ellas eran de tomar la copa jueves, viernes y hasta sábado por la noche.

Entre ellas, que ganaban mucho dinero, había quienes consumían estupefacientes, otras cocaínas para bajar de peso, cuando el único método que yo conocía para mantenerme en talla dos o cero era hacer mucho ejercicio y matarme de hambre. Yo no decía nada de lo que ocurría porque era su vida, pero dentro de mí era muy difícil la convivencia por todo lo que no compartíamos y constantemente me cuestionaba y me decía: "¿qué pasa?, ¡yo no estoy acostumbrada a esto hay algo que aquí no está nada bien!

Ellas sabían perfectamente que si consumían un poco de coca les aceleraba mucho el sistema, por lo que hacían mucho ejercicio, se veían muy bien, se bronceaban muchísimo, yo tampoco me asoleaba porque mi color de piel es natural, pero era chistoso y difícil vivir cosas que veía que pasaban en las películas y series de televisión, cuando disfrutaba era en el momento de modelar porque el fotógrafo solía decirme siempre: "la cámara te adora chica", y eso me hacía sentir muy segura y concentrarme en mi trabajo, aunque también me decía que había mucha nostalgia en mi mirada.

En esa etapa no sonreía, me decían que tenía el estilo de Mona Lisa, o "Mona Lisa style", (por la pintura de "La Gioconda") ellas reían abiertamente en sus fotos y yo no podía, siempre tenía la mirada triste y nostálgica y al principio ese se convirtió en mi estilo. Un día uno de ellos me recogió el cabello y empezó a retratarme de perfil, me hizo ponerme un bikini y encima un saco de militar y todavía conservo fotos de ese tiempo en que trabajé tan duro para salir adelante, porque siempre mi corazón estaba en Perú.

Siempre reflexionaba en que si bien no había tenido que atravesar el desierto para llegar a este país ni padecía el viacrucis de no tener documentos de trabajo, si sufría lo que creo que experimentamos todos los inmigrantes principalmente cuando hemos llegado solos a este país, porque aunque tenía documentos de trabajo, continuaba siendo un reto el no hablar inglés, (porque solamente hablaba el inglés básico de una asistente de vuelo) sumado al reto de haberme venido sola y eso me hacía ser una adolescente con muchos miedos...

Sumado a eso tenía la obligación de hacer mucho ejercicio y matarme de hambre porque, aunque era talla cero-dos el fotógrafo decía que estaba gorda, y el lograr esas medidas no era nada fácil porque soy caderona y piernona. Tenía compañeras de Argentina, Puerto Rico, de Cuba, España, etcétera y a la que el fotógrafo le decía que estaba gorda era a mí.

Además, las sesiones de fotografía eran muy largas, había que tomar fotos para los catálogos de productos internacionales que promovía la compañía que nos contrató. Había muchísimos productos que debíamos promover y eso me mantenía ocupada, pero cuando regresaba al departamento, aunque tenía literalmente vista al paraíso, sentía todas las noches una profunda tristeza por la nostalgia de los abrazos de mamá y de comer en casa con mis hermanos.

El extrañarlos tanto provocaba que llorara mucho a solas por no poder cumplirles rápido la promesa que le hice a papá de mudarnos todos a Estados Unidos, pero haberle prometido eso fue lo que me mantuvo ahí, cuando más los extrañaba me repetía una y otra vez: "¡voy a cumplir mi promesa de traerlos aquí y tener una vida alegre, diferente y feliz!" y eso fue lo que puse en mi mente.

La relación con mis compañeras de trabajo era totalmente superficial, aunque me ayudaban poniéndome rodajas de papa en los ojos para que se me bajara lo hinchado y no saliera en las fotos, después de varias horas de llanto pero obviamente se daban cuenta de que yo

no estaba bien emocionalmente y me decían
que estaba enferma de nostalgia o de
"homesick".

Ellas se iban a divertir y yo muchas veces me
quedaba, otras salía sola a caminar por las
hermosas avenidas y playas de Coral Gables
que es una ciudad muy bonita, la playa me
aliviaba porque soy de Costa. ¡Me encantaba
ir al Malecón e imaginarme cuando lograra
traerme a mi madre y mis hermanos para
olvidarnos de tantas cosas que habían pasado,
pero parecía que el día que lo lograra estaba
¡tan lejano!, pero para darme fuerza me
repetía: "esto no va a durar toda la vida, esto
tiene que acabar..."

Me sentía tan sola y extrañaba tanto a los
míos, que hubiera sido fácil encontrar una
salida y dejarme llevar por la vida divertida
que mis compañeras tenían, pero pesaron más
las enseñanzas y consejos de mis padres de
llevar una vida siempre digna, además en mi
mente resonaban las palabras de mami:
"Recuerda hija que debes tener cuidado
porque te pueden poner algo en una bebida e

inconsciente te pueden hacer daño, respétate hija, tu eres una consentida de Dios, cuida tu cuerpo, eres una muchacha joven que se está abriendo a un mundo que no conocía pero acuérdate que si yo no estoy ahí físicamente el que te está mirando es Dios y él sabe todo lo que hay en tu corazón y lo que haces."
Otra cosa que siempre me advertía era que iba a encontrar en mi camino hombres con dinero y que debía aprender a tener siempre mi cerebro conectado con mis sentimientos que no me deje impresionar y que lo más es el corazón de una persona. Con todo lo que me decía mami creo que llegué a tener tanto temor de Dios, como de dejarme llevar y convertirme en una muchacha que huyera de sus sufrimientos a través de las drogas o el alcohol y que eso pudiera llevarme a ser promiscua y por supuesto era firme mi decisión de evitar tomar bebidas embriagantes.
Debo confesar que a lo que si me hice adicta fue al chocolate, incluso hubo un tiempo que lo comía a todas horas porque era como mi

medicina, pero luego de cinco años empecé a descubrir que el comerlo me provocaba palpitaciones y hasta me hice alérgica, así que con mucha pena tuve que dejarlo.

La adicción al chocolate empezó cuando era niña y mi papá nos los compraba en el aeropuerto donde trabajaba, de ahí me quedó esa dulce costumbre. Luego cuando yo volaba como aeromoza acostumbraba regresar con chocolates de Miami, ¡los devoraba todos...!, era una verdadera adicción, llegaron a ser como una droga que me tuve que quitar porque era o eso, o tolerar las palpitaciones que me daban pero confieso que lo extraño mucho porque eran mis compañeros de tristezas... es que es ¡tan sabroso!...

Por todo eso cuando llegué a Estados Unidos es una etapa que no extraño, aunque también encontré gente bonita que me apoyó, le he agradecido siempre a la compañía que me dio la bendita oportunidad de llegar a este país con permiso de trabajo y que además después me ofrecieron renovarme mi contrato.

Solo que yo estaba ansiosa de volver a trabajar en lo que más me gusta, porque me hice modelo por la oportunidad que me ofrecieron que me permitiría salir adelante, pero estaba decidida, pasara el tiempo que pasara, a volver a encontrar mi camino en los medios de comunicación, que era lo que de verdad me apasionaba: poder relatar las historias de nuestra gente con veracidad y humanidad como siempre fue mi sueño...

"Los consejos de mamá, son sabios escúchalos no hay mejor amiga y confidente que las madres, es un hecho... valórala mientras la tienes"

Jackeline Cacho

Jackeline Cacho

Mi carrera de modelo en Estados Unidos

Una de las agencias con las que modelaba

Jackeline Cacho

Jackeline Cacho

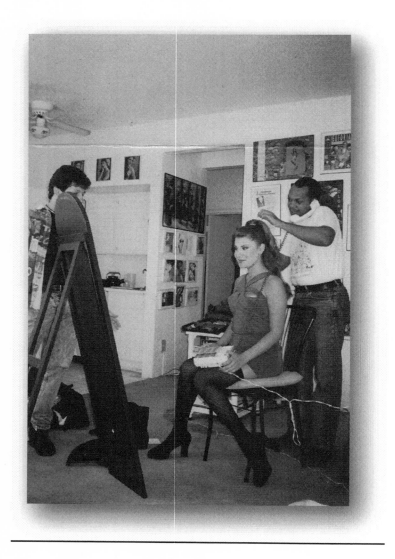

111

height 5'7" dress 4-5 bust 34 waist 24 hips 35 shoes 8 1/2 hair brown eyes brown

En busca de mi verdadero sueño

Al tener que decidir entre renovar mi contrato con la compañía que me trajo a Estados Unidos o buscar otro camino pasaron situaciones difíciles pues había visto involucrada mucha droga entre las modelos quienes vivían al extremo y temí que en algún momento me atrapara por eso salí de ahí, ya fuera por la tristeza, por conservarme delgada o por enamorarme de alguien equivocado en un mundo totalmente surreal.

Y es que entre las luces y el maquillaje todo parecía bello y perfecto, pero para mí forma de ser "No Era Yo", me ofrecieron irme a Nueva York e incluso audicionar para la revista deportiva *Sports Ilustrated* y de otras compañías grandes, pero cuando caminaba sola llorando le preguntaba a Dios: "¿es este el camino para mí?, ¡es que no soy feliz en esto y no puedo seguir así porque siento que me asfixio!", y decidí irme a Houston, Texas.

Me fui porque estaba muy afectada debido a que una de las compañeras de modelaje con la que compartí varios trabajos había fallecido por una sobredosis de cocaína y mi espíritu no se sentía bien, había una voz que me decía dentro de mí: "¡busca lo que es verdaderamente tu pasión!

Yo sabía perfectamente hacía qué rumbo quería dirigir mi vida, pero no fui tonta como para desaprovechar las oportunidades que se me presentaron y le agradezco a Dios y a mi papá que siempre estuvieron fortaleciéndome espiritualmente, por eso, aunque estuve sola, nunca me dejé envolver por esa nube ficticia que puede atraer tan fácil hacia el mundo del modelaje y la fama.

Lo bueno es que yo sabía perfectamente que eso era hasta cierta edad porque esas carreras tienen fecha de caducidad y sacrificios, así que me concentré en trabajar como modelo, hacía muchísimo ejercicio y cuando comía me pasaba contando las calorías para no subir porque normalmente es muy difícil ser talla cero, talla que va aumentando con la edad, yo con mucho esfuerzo me mantuve porque normalmente soy cuatro o seis.

"Tu profesión debe ser tú pasión, no hay trabajo mejor remunerado que el trabajo que se hace con corazón y pasión"

Jackeline Cacho

Houston, la "Chica 108"

Pero el tiempo pasó y por fortuna en Houston también encontré muchas oportunidades esos años me concentré en trabajar y ahorrar prácticamente todo lo que ganaba para lograr traerme a mi familia fueron los años más difíciles de mi vida, no dormía porque todo era de constante lucha y preparación y era muy complicado.

Para colmo descubrí que el clima de Houston suele ser muy extremo y aunque yo hacía radio en la mañana, televisión en la noche y controles remotos los fines de semana, siempre estaba afuera ocupada y eso me hacía lidiar con el medio ambiente.

A pesar de eso estaba decidida a regresar a los medios de comunicación y un día caminando me encontré con el periódico "La Semana" que distribuían gratuitamente en las áreas latinas de Houston. De inmediato busqué quién era el jefe editorial: Germán Arango y fui a reunirme con quien llegó a ser mi gran amigo, un periodista colombiano maravilloso de mucho prestigio que fue el primero en darme la oportunidad de escribir artículos.

Gracias a él empecé a ubicarme y a entender cómo eran los medios en español que en aquel tiempo estaban en crecimiento y me dijo que tenía que empezar desde abajo, tocando puertas, y en un evento tuve la oportunidad de conocer a la gente de "La Nueva 108", una radio difusora de música regional mexicana que estaba haciendo promociones y regalos.

Les pregunté cómo se hacía para trabajar como DJ porque yo había estudiado locución, me dijeron que fuera y me reuniera con Gil Romero, el gerente de programación y antes de preguntarme qué se me ofrecía, me dijo: ¿Sabes qué estaba buscando?, ¡La chica póster de La Nueva 108!, ¡y que me vuelvo a meter al mundo del modelaje!, yo muy dentro de mí decía: "¡yo puedo hablar, déjenme hablar!, ¡yo tengo más talento!"

Hasta que un día fuimos a hacer una promoción en un control remoto para regalar posters. Yo iba con un pantalón corto muy chiquitito, sombrero, botas y un corseé que yo me ponía, y el locutor de radio me pidió que invitara a todos para que vinieran a verme ¡y por fin me soltaron el micrófono y por supuesto ni tonta ni perezosa finalmente hablé!

Inmediatamente sonó el teléfono celular del locutor, era Gil el jefe de programación para preguntarle quién estaba hablando, le dijo que era "la chica 108" y le pidió que me dijera que fuera al día siguiente a su oficina.

Llegué pensando que me iba a regañar y que iba a perder la chamba por haber hablado, y me preguntó que quién me había enseñado a hablar, que si había hecho locución, le expliqué que a eso había llegado a conocerlo cuando me ofreció el trabajo como modelo pero le dije que yo soy comunicadora y podía hablar.

Me dijo que había una oportunidad pero era en el turno de las tres de la mañana y por supuesto lo acepté y ahí comenzó mi ansiada aventura en los medios de comunicación donde duré casi un mes, por cosas del destino se enfermó la chica que daba el tráfico y me llamaron para suplirla y para mi buena suerte les gustó mi voz. Le pregunté a mi jefe que si no le interesaba que hiciera algunas notitas del día y me dijo que si y en menos de tres meses además yo ya estaba dando el tráfico en las tardes, hasta que me ofreció la oportunidad de ser la locutora de las mañanas, en el show más escuchado de la estación.

Mi primer año fue muy educativo para mí en el mundo de la radio en español en Estados Unidos. No fue fácil porque me levantaba a las cuatro y media de la mañana yo era la que armaba la escaleta del contenido del día, y aparte, aunque sin pagarme nada extra pero feliz de tener un nombramiento importante como directora de relaciones públicas de las tres estaciones de la compañía, al mismo tiempo aprendía a comunicarme en un mercado primordialmente mexicano.

Todo porque se me ocurrió decirle a don Roel Campos, que en aquel tiempo era el vicepresidente de *El Dorado Communications*, un gran amigo que actualmente vive en Washington D.C., y le dije: "¡pero ustedes no hacen trabajos comunitarios!, él dijo que no, porque tenían que contratar a una persona más y eso no era posible. Le dije que me diera el título y yo lo hacía y me permitieron hacerlo.

Año y medio después yo ya escribía para el periódico "La Semana", dirigía el show de la mañana, hacía el tráfico, el tiempo y daba las notas del día, y se abrió una plaza para ser la chica tiempo del Canal 48 de Telemundo y fue Gil mi jefe quien me lo dijo y me sugirió que lo intentara aunque yo nunca había dado el reporte del tiempo en televisión pero tampoco pensaba que era tan difícil así que decidí intentarlo, me compré un trajecito muy lindo azul celeste, me fui a hacer la prueba y les gustó como hice la presentación, así que empecé a dar los reportes meteorológicos en los noticieros de las 5 y de las 10 pm de Telemundo 48.

Era una locura porque de la radio salía a las doce del día y a Telemundo entraba a la una y media, pero el ultimo noticiero terminaba a las 10:30 pm así es que tenía que irme a dormir a las once de la noche y me levantaba a las cuatro de la mañana y eso lo hice durante tres años y medio y no me arrepiento porque por fin estaba haciendo lo que me gustaba y adquiriendo experiencia cumpliendo mi sueño de trabajar en las telecomunicaciones y veía más cerca la hora de estar juntos todos en familia...

"Desarrolla tus talentos cada día, recuerda la práctica hace al maestro... nada llega gratis"

Jackeline Cacho

Que emoción la primera vez que fui a escuchar al presidente
Bill Clinton y me toco sentarme con Sam Donaldson
Corresponsal de la casa blanca

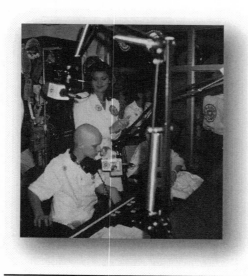

"Radio Lollipop" una campaña maravillosa que apoye con el hospital de niños con cáncer de Houston

Ya de reportera para Telemundo en Houston

La chica Tiempo de Telemundo Houston

126

"La Peruana más Mexicana"

Uno de los retos cuando estaba haciendo radio en Houston fue despegarme de la onda del modelaje porque en ese tiempo era lo que me daba de comer. Y modelaba para la agencia Agencia *"Page Parks"*

Mi reto no era sólo que me dieran oportunidad de hablar, también adaptarme al mercado porque se trataba de una radiodifusora que tocaba música regional mexicana, así que para mí como peruana era doblemente complicado porque evidentemente al estar detrás de un micrófono nadie sabía cómo me veía y era imprescindible no sólo lograr comunicarme eficazmente, ¡sino tratar de hacer desaparecer mi acento!

Lo maravilloso fue que la gente me comenzó a aceptar con todo lo que yo soy y mi segundo compañero en la estación, Juan Manuel, una de las grandes voces de Texas con quien compartíamos el horario de la tarde y quien sigue siendo un gran amigo que ahora radica en San Antonio, me decía: "entonces Jackeline estoy hablando con la peruana más mexicana", y ese fue uno de los "apodos" que me pusieron y que acepté gustosa porque en esa zona del país es muy grande la influencia norteña, especialmente para los mexicanos que radican en Houston.

Aunque casi no tenía acento evidentemente había muchas frases y modismos que por la diferencia de cultura no conocía, caer en sus bromas era inevitable, complicado pero a la vez chistoso para mí porque hasta el día de hoy "el albur mexicano" sigue siendo misterioso y divertido y siempre he pensado que hay que nacer en tierra azteca para entender los divertidos albures de México.

Así que por mi trabajo en diferentes mercados preponderantemente latinos he hecho fuertes transfusiones de "sabor mexicano" a mi sistema porque me siento y hablo muy mexicana, incluso tengo más modismos de México que de Perú porque he llegado a entenderlos pero en aquel tiempo... "n'ombre", "me revolcaban los conductores".

¡Me hacían cada broma!, y cuando caía me decían: "¡hay güerita, te pones de pechito, de pechito mi reina!", yo les decía: "¿Pero cómo?, qué me estás diciendo?", y es que hay cosas que significan totalmente lo contrario en Perú así que fue un proceso de aprendizaje maravilloso.

Uno de los más hermosos momentos de ese tiempo fue cuando conocí a don Raúl Velasco a quien yo le llamaba "el señor televisión" que a través de su programa "Siempre en Domingo" quien dio durante años la oportunidad a tantos grandes artistas.

Él estaba en Houston en espera de un trasplante de hígado, llegó a la ciudad con su esposa para buscar la oportunidad de tener una segunda vida como él me dijo. Llegó una tarde a la estación, y como yo era la titular de "relaciones comunitarias" tuve la suerte de recibirlo y atenderlo y cuando lo vi en la recepción me impresioné muchísimo porque "Siempre en Domingo" era el segundo programa que más veía mi papá en Perú, el primero era "La Isla de la Fantasía" con el inolvidable Ricardo Montalbán." Con quien también años más tarde me tocaría vivir una experiencia inolvidable entregándole el último premio que recibiera en vida.

Quien hubiera pensado que dos de los personajes que más admiró mi padre se cruzarían en mi camino dejando una gran huella en mi carrera.

A veces estas aventuras me hacen sentir como una *"Forrest Gump"*, he estado en lugares y en momentos en los que Dios me ha permitido conocer gente muy especial y siempre he valorado mucho esas oportunidades.

Don Raúl Velasco se hizo gran amigo e incluso fue mi padrino de radio porque me dio la "patadita" en un concierto muy grande en Houston, y me llenó de felicidad y compromiso cuando dijo públicamente: "he conocido a grandes artistas y hoy conozco a una gran comunicadora y le doy la patadita de la suerte a Jackeline Cacho, "la peruana más mexicana" y para mí fue algo maravilloso.

Y es que a pesar de estar enfermo tenía ¡una energía impresionante!... Llegaba a las cuatro de la mañana a *"El Dorado Communications"*, yo lo esperaba abajo con su cafecito preparado y llegaba feliz, siempre me decía: "¿Lista mi güera?, ¡Vamos a entrarle!" Cuando él estaba en la ciudad de Houston, porque iba y venía a México, él hacía el programa con nosotros.

Fueron muchas las cosas que aprendí de él, entre ellas a respetar al público, a ser ante todo honesta. Siempre me decía: "¿Sabes por qué la gente va a llegar a quererte Jackie?, porque tú eres quien eres y no te da pena y eso es lo que uno tiene que ser porque la cámara es transparente y el micrófono es sensible y te siente"

Él me dejó pensamientos muy profundos, tantos, que me permitió abrir con él la organización *"Life of Gift"* o "Regalo de vida" porque cuando necesitó un trasplante de hígado vio la necesidad tan grande que existe porque hay unas muy largas listas de personas enfermas en espera de un trasplante para salvar su vida. Y es que una de las cosas que más le ayudaron es que siempre siguió en contacto con su público, en Houston a través del programa que compartíamos él y esta servidora.

Incluso en su columna en el periódico "El Heraldo de México" escribió de mí, donde dijo que su compañera de radio en Houston era con "la peruana más mexicana que conoce" ... Por eso siempre he dicho que Dios me ha puesto en el camino personas maravillosas de las que he aprendido gran parte de lo que soy. Así que por las oportunidades que recibí en la radio y por el consejo de personas como don Raúl le puse muchas ganas, honestidad y amor a mi trabajo. En ese tiempo todo mi círculo de trabajo y de amistades era cien por ciento mexicano así que fue inevitable que aprendiera a comer tortillas, chile y demás delicias al mismo tiempo que aprendí a escuchar música de "Los Tigres del Norte", de "Los Temerarios" y hasta de "Los Tucanes de Tijuana" sí señor.

Y esto es algo que me fascina de los mexicanos tienen un corazón muy humilde, eso es algo que he tratado de aprender cada día, ese es uno de los motivos por los que me he acercado tanto a su cultura y siempre me he sentido muy honrada de que realicen por ejemplo las fiestas patrias Mexicanas y me llamen para que sea la maestra de ceremonias o que me lleven a Puebla o México a algunos de los eventos tan lindos que hacen, por eso siempre he dicho que tengo tres nacionalidades: soy peruana de nacimiento, americana por nacionalidad y muy mexicana de corazón, Si Señor!

Esos tiempos dejaron enseñanzas imborrables que son un tesoro en mi corazón... Todavía vivía en Houston y ya estaba muy bien situada en el programa de la mañana en la radio y en *"El Dorado Communications"*, e incluso Telemundo 48 me dio la oportunidad de ser "La chica del tiempo" en los noticieros de las cinco y de las diez además de escribir en el periódico "La Semana" lo que me hacía percibir muy buenos ingresos, estaba en una muy buena etapa y mi esperanza era por fin traer a mi mamá y mis hermanos, Patty y Aarón y estar todos unidos aquí con Mamá, Carmen, Patty y Aarón.

Don Raúl Velasco un gran maestro de los medios, una bendición en mi vida profesional

Don Raúl Velasco mi padrino de radio
"Para mí la vida es un rompecabezas, cada momento, cada
persona son piezas importantes que van formando la figura
principal que es Tú vida"

Aquí con Ricardo Montalbán, por primera vez en Los Ángeles, CA.

Jackeline y Betzabé frente a frente

Volviendo a mi realidad... Los ataques de ansiedad que padecía llegaban casi a diario, los sufrí en San Antonio, Texas después de mi accidente de tráfico y me los llevé conmigo a Los Ángeles, California nadie lo sospechaba pero me estaban consumiendo viva, buscando huir de ellos me enfrentaba a mí misma ante el espejo y me veía directamente a los ojos asegurando que me había llegado el momento de morir, Betzabé, mi otro yo, me contestaba: "¡Déjate de estupideces!", porque fue ella quien se dio cuenta de que estaba en peligro de destruirme.

Ella aceptaba que papá estuvo enfermo y maduró muy rápido por ese motivo, fue muy fuerte al apoyar tanto a mamá cuando mi gordito murió. Cuando las analizo como si no fueran yo puedo ver que las dos son como el día y la noche, porque mientras Betzabé, como me llamaban cuando era chica, es sencilla y tranquila, Jackeline es fuerte, determinada, vanidosa y más atrabancada e impaciente que quiere todo para ayer, ¡hay mucha diferencia entre ellas!

El saber que eso me pasa me ha llevado a creer que todos los seres humanos tenemos dos personalidades que empleamos de acuerdo a las personas con las que compartimos y a las circunstancias que nos rodean y puedo percibirlas perfectamente:

Betzabé no es la profesional extrovertida que trabaja en televisión, ella es incluso tímida y muy dedicada a su casa y su familia, su círculo incluye únicamente a su familia y amigos muy cercanos, no la conoce mucha gente porque prefiere estar en su casa en lugar de un evento. Desde niña era tan seria y callada, que el profesor Mauro Soto de la Escuela Santa Rosa de Lima la eligió para representar a Santa Rosa de Lima por lo calladita que era, se sabía todas las oraciones religiosas y siempre estaba muy concentrada haciendo la tarea.

Jackeline fue la que tuvo que armarse de valor y hacerse fuerte para salir adelante sola en Estados Unidos para lograr volver a reunir a su familia, pero fue Betzabé la que se dio cuenta de que se estaba destruyendo porque algo que le pasaba, es como si las dos se hubieran sentado a hablar una frente a la otra y Betzabé llena de juicio aconsejándola: "no te preocupes, todo va a estar bien, no tienes por qué acelerarte, si no resulta este mes saldrá el próximo."

Y Jackeline le contestaría: "¿y por qué no, si me he esforzado tanto?, si yo me lo merezco, ¿por qué esperar si puede ser ahora?". Y es que en serio creo que todos tenemos al menos dos formas de ser, en casa soy muy amorosa y hogareña, afuera soy una "¡go get it!", no me permito momentos de vulnerabilidad, soy una persona fuerte, incluso hay quien puede percibirme como muy segura o agresiva."

"La mejor manera de ser feliz es sincerándote contigo misma"

Jackeline Cacho

Nunca olvides a TÚ niña interior, recuérdala,
hazla reír, y si tiene que llorar,
llora con ella o él.

Jackeline Cacho

JACKELINE CACHO

El refugio que me deja volar

De regreso a mis memorias en Perú...

Habían pasado como dos meses después de mi cumpleaños cuando soñé por primera vez a mi papá, yo ya trabajaba para la fuerza aérea y aunque me mantenía ocupada lo extrañaba muchísimo, por lo que corrí en mis sueños a abrazarlo y llenarlo de besos, él estaba esperando en casa mi regreso después de que, sin jamás haberlo imaginado, me despedí de él por última vez cuando fui por mi licencia de trabajo.

Ese sueño fue uno de los momentos más intensos y felices que recuerdo después de su partida lo mismo por lo impresionante de descubrir que podía regresar volando en sueños a nuestra casa en mi amado Perú, que por encontrarlo tan sano, joven y feliz de verme como si se tratara de la época cuando yo era niña antes de que empezara a padecer la enfermedad que al final lo arrancó de nuestras vidas.

Tenía puesta una muy brillante camisa blanca y tan cariñoso como siempre me encerró entre sus brazos acogedores que desde el primero de mis recuerdos con él me hicieron sentirme protegida, pero ese abrazo irremplazable fue aún más especial porque, aunque era sólo un sueño, fue lo más real que pude haber sentido...

Me dio un beso muy dulce y me pidió que me tranquilizara porque él estaba bien y muy orgulloso de mí porque estaba haciendo un buen trabajo, me dijo que está feliz, que ya no sufre, y me preguntó si ya iba a comprar el avión que cuando era niña le aseguraba que compraría para viajar juntos y como siempre platicamos y nos reímos mucho.

Mi alegría al despertar fue desbordante, aunque en mis sueños volví a verme como una niña de siete años y a pesar de eso, me transmitió la posibilidad de entender que mi situación y todo lo que me pasaba era pasajero y que todas esas vivencias me iban a ayudar a mejorar.

Fue hermoso caminar con él, reír con él, caminar tomados de la mano, ir juntos a mi cuarto y leer conmigo cuentos de historias encantadas para hacerme recordar primero que tan amada he sido y lo orgulloso que siempre se ha sentido de su muñequita, según decía, por lo inteligente, dedicada y enfocada en sus cosas por lo que me daba consejos para que nunca perdiera esa manera de ser.

Lo que más recuerdo de mis crisis más grandes es querer abrazarlo mucho porque me era necesario sentir su apoyo, me sentía muy desmoralizada e indefensa y creo que eso se reflejaba en mis sueños porque en ellos me veía como niña y no como adulta que regresaba soñando a su niñez, y lo único que quería era el abrazo de su padre y lo tuve de esa manera por muchos meses y lo continúo teniendo hasta la actualidad.

Lamentablemente también tenía pesadillas, veía cuando lo enterraban y siempre, durante muchos años al encontrarlo en sueños le preguntaba lo mismo: "papi... ¿por qué me dejaste?" Hasta que un día me vi buscándolo desesperadamente y lo encontré en el jardín de la casa, volví a cuestionarlo y me dijo con una sonrisa que me llenó el alma: "yo nunca te he dejado porque siempre estoy contigo" ...

Me acerqué a él y pude tocarlo tan fuerte como era, moviendo su brazo y pierna derecha, caminando y haciendo lo que había dejado de hacer. Fue un sueño muy bonito del que desperté llorando de emoción y a partir de entonces dejé de tener las pesadillas que me hacían llorar buscándolo y no volví a reclamarle nunca el haberse ido, para a partir de entonces permitirme sentir que me acompaña y siempre me motiva a alcanzar mis sueños.

Lo más bonito además de saber que mi gordito ya está sano y no sufre, ha sido descubrir con el transcurrir del tiempo que ahora tiene una posición en la que espiritualmente nos puede ayudar, que nos cuida a mi madre y a todos sus hijos y no tengo duda de que cada cosa que he logrado en este país, y siempre lo menciono, es gracias a mi madre y a la guía espiritual de mi padre que sé que desde algún lugar siempre está conmigo.

Y es que ese maravilloso sueño tuvo a partir de ese día el bendito poder de tranquilizar mi corazón y enseñarme a extrañarlo con resignación y sin más lágrimas, porque además la casa donde crecí que atesora todas nuestras vivencias y recuerdos, se transforma a partir de entonces en mi refugio secreto y mágico al que en sueños puedo llegar volando cada vez que necesito sentirlo cerca.

Él incondicionalmente me espera con los brazos abiertos porque tras descubrir que en sueños tengo recurrentemente la maravillosa posibilidad de encontrarlo, he llegado a la conclusión de que mi papá viene, me visita y siempre está conmigo en los momentos más importantes de mi vida.

Con el paso del tiempo y de disfrutar en sueños de las esporádicas visitas de mi padre siento que todas esas experiencias que han pasado en mi vida me han ayudado a sentirme plena y feliz porque no necesito de nada para serlo, y es que me siento completa con lo que tengo y eso me hace ser una mujer más humana, sensible y sencilla que por medio del dolor ha conocido la felicidad.

La última vez que lo soñé fue recientemente durante un viaje de trabajo a Nueva York, donde tuvieron que hospitalizarme por problemas estomacales y no por ningún ataque de pánico. Me aplicaron sedantes y dormía cuando lo vi llegar a verme y a abrazarme al mismo tiempo que me decía: "ese dolor de estómago se va a sanar, ¡deja de preocuparte, todo va a salir bien!" … Yo le dije: "papi, pero no te vayas, ¡mamá está aquí!", entonces abrí los ojos y vi a mami, le conté que acababa de ver a mi papá y muy segura de lo que hablaba me dijo: "¡por supuesto, te vino a visitar!"

Esa no fue la primera vez que vino a verme, cuando estoy despierta percibo su llegada a través de su perfume primero de forma muy tenue, luego un poco más fuerte como para que no quede duda de que está aquí, me siento afortunada porque sé que papá es un ángel que me acompaña, siempre hablo con él, le pido ayuda y se presenta en mis sueños. Incluso cuando empecé a tener los ataques de ansiedad empecé a hablar con él y a pedirle: "si me voy a morir como tú ya llévame, ¡vámonos!, pero ya no quiero seguir así. Él vino durante mi sueño y me dijo que no debía tener miedo porque yo no era una niña miedosa, que yo era su muñequita y me recordaba mi fortaleza.

También por todo lo que pasé y porque en algún momento creo haber perdido mi camino o quien yo era por todas las inseguridades que sentía y que me provocaron los ataques de ansiedad, él volvió para fortalecerme y Dios ha sido una guía maravillosa en mi camino, por eso siempre digo que DIOS es el más grande doctor de doctores.

Escribir este libro es la forma que encontré para terminar de sanarme y si hay otras personas que pueden sanarse por medio de estas páginas en las que pueden ver que se puede llegar a tocar lo más profundo de la desesperación, pero que siempre vas a encontrar la luz porque siempre habrá una fuerza más allá que te ayuda y alguien que te recuerda con un susurro que tú tienes una misión de vida y que estás aquí para cumplirla. Eso es algo que me ha pasado constantemente porque mi vida ha sido difícil como la de muchos inmigrantes, como muchas mujeres que han estado solas, que se han caído y que lo han perdido todo y a pesar de eso han vuelto a luchar y han vuelto a ganar. Por eso también siempre he dicho que he sido muy bendecida y afortunada porque Dios siempre ha puesto en mi camino gente maravillosa que ha confiado en mí y las puertas se han abierto cuando las he ido a tocar.

Esa es una constante que se presenta en la vida de las personas y para mí la parte que reconozco al llegar a este país es que aquí si uno lucha, se compromete y trabaja puede hacerlo aunque no es fácil, por eso nunca me olvido de esa palabra de nostalgia o "homesick", porque yo padecí fuertemente la enfermedad de casa, por eso no hubo día en el que yo no hablara con mi madre a pesar de los altos costos económicos que eso implicaba para decirle cuánto la quería y sobre todo que cumpliría mi promesa de traerla porque no dejaba de extrañarla.

Gracias a Dios no me dejé caer ni permití que la soledad o la oscuridad me lograran destruir porque creo que siempre hay energías negativas alrededor para destruir a seres de luz y todos somos un ser de luz.

La fortaleza más grande de cualquier ser humano es la familia, y es ese amor que siento por ellos que me dio la fuerza de creer que mi vida tiene un propósito.

"Por ese motivo quiero invitar a las personas que padecen lo que yo pasé ansiedad y ataques de pánico a que confronten sus miedos, que acepten sus temores y lados obscuros porque todos los tenemos y podemos llegar a ser ambiciosos, egoístas, rencorosos pero todo eso también podemos erradicarlo para siempre de nosotros porque eso al fin y al cabo nos hace daño, así es que hay que aprender a perdonarnos a nosotros mismos porque nuestra mochila emocional será más ligera de soportar y a perdonar a todos los que nos han hecho daño para encontrar esa armonía y ser feliz".

Jackeline Cacho

San Antonio Texas y la televisión

No hacía otra cosa que trabajar con el sueño de reunir a mi familia, había pasado tres años y medio trabajando muy duro en Houston y había logrado comprar una casa preciosa, para recibirlas como ellos merecían.

Con los tres trabajos que tenía pude por fin empezar a traer a mi familia porque pude acreditar que yo era una ciudadana responsable. Esa era mi motivación, mi objetivo, mi lucha… no me importaba dormir únicamente tres horas y media al día, al extremo de tener que dormirme en mi camioneta a la hora del lunch cuando me tomaba una siesta de una hora para irme a Telemundo, no importaba nada de lo que pasé porque tenía una meta y siempre me he propuesto metas en mi vida.
Pero como siempre he tenido un "pepe grillo" que me impulsa a buscar nuevas

oportunidades, supe que estaban buscando conductoras para Univisión y decidí mandar mi video de presentación porque esa cadena era mi meta desde que llegué a Miami. Mi frase favorita por grande que fuera el reto siempre ha sido: "yo puedo hacerlo."

Mucho tuvo que ver que era 1999 y quería empezar el nuevo milenio "el año 2000" con todo el ímpetu que tenía. Gracias a los consejos de mi querido amigo Bob Perry decidí enviar mi demo a cinco estaciones afiliadas de Univisión, la cadena más grande en español en Estados Unidos: a Dallas, San Antonio, San Francisco, Laredo y Nueva York. Me llamaron y me hicieron volar a tres de esas plazas y tuve que decidir dejar todo lo que ya tenía.

De las tres afiliadas fue San Antonio, Texas, la que me ofreció ser conductora del primer noticiero de fin de semana que abrió esta cadena de televisión que empezó a hacer lo mismo en otros mercados. San Antonio, que es el séptimo mercado para latinos en el país fue el primero que lo hizo y me brindó a mí la oportunidad de conducirlo. Se lo comuniqué a mi familia.

Yo estaba feliz porque iba a ganar el doble del dinero de todos los trabajos que estaba haciendo en Houston. Presentía que iba a ser una etapa inmensamente fructífera por la oportunidad de entrar a una cadena tan grande y establecida me hacía imposible decir que no.

Mi mamá me dijo: "claro hijita, toma la oportunidad y nosotros nos vamos contigo"; la última semana de diciembre el canal me puso un departamento temporal y ahí pasé la primera noche de fin de año de 1999 y recibí el nuevo milenio 2000.

Recuerdo haber estado junto con mi hermana Patty (quien había llegado unos meses atrás) y estuvimos en el estacionamiento del canal con todo el nuevo equipo que me daba la bienvenida observando los tradicionales fuegos artificiales que atraen la mirada de miles de espectadores cada año en el centro de San Antonio para disfrutarlos en la torre más alta. Fue una noche mágica de esperanza y gran entusiasmo porque el noticiero empezaba la primera semana de febrero.

Fue una decisión maravillosa porque pude aprender cosas fantásticas, pero no dejó de ser difícil el comenzar de nuevo porque era un nuevo mercado, nueva gente porque había estado en otra ciudad haciendo radio, prensa y televisión y ahora debía volver a sembrar, y aunque Houston es una ciudad más grande, San Antonio es un lugar muy poderoso, como bien dice don Henry Cisneros, es reconocida como la incubadora de liderazgo de los latinos en Estados Unidos.

En San Antonio crearon las organizaciones más antiguas que defienden los derechos de los latinos como MALDEF, LULAC, LATINO CONGRESO y donde se han formado grandes líderes como Henry Cisneros, Henry B. González, Julián Castro entre otros... Por esta y otras razones dije: "me mudo a San Antonio, Texas. Debo decir que entrar a esta gran cadena no fue nada fácil pero eso me brindó la oportunidad de seguir creciendo, y es que siempre he descrito mi personalidad como callada aunque de cierta forma tengo dos personalidades, y cuando Jackeline recibe una oportunidad en su vida se enfoca mucho y parece indiferente a gente que si no te conoce puede interpretar que se trata de alguien que quiere estar alejada del grupo y eso me pasó, porque en lugar de hacerme amiga de todo el mundo, hice todo lo contrario por haber llegado a trabajar y a enfocarme en crecer y aprender.

El grupo que encontré estaba ahí establecido durante años, una de las conductoras tenía como quince años trabajando y yo además de ser la más joven era "la nueva", y de repente empecé a recibir frialdad y negatividad de algunos de ellos. Eso no me afectaba porque yo estaba encerrada en mi burbuja para concentrarme y dar mi cien por ciento y poder aprender lo más que podía.

Eso me costó mucho porque al no salir a pasear y tomar el trago con ellos hace que se creen "anticuerpos" y las envidias fueron muy grandes y es que reconozco que uno de los mayores enemigos en este medio es precisamente la envidia y lo digo porque yo he pasado eso. Lastimosamente ese sentimiento puede ser un enemigo que te puede destruir y me da pena decirlo pero tuve que confrontar eso en esta etapa de mi vida.

No dejé que eso me distrajera. Empecé a trabajar en enero del año 2000 y en el mes de marzo yo ya estaba reportando para los noticieros nacionales con notas especiales. En abril me dieron una asignación de series especiales muy importante que hice con "El asesino de los rieles" Maturino Resendiz.

Dos años después inauguré mi primer negocio un salón de belleza con mi socia, con quien además pudimos expandir el negocio. En ese mismo tiempo fundé la organización sin fines de lucro "Latina Crown USA" una entidad que por medio de concursos de belleza promovía la educación para jovencitas en 3 diversos grupos: Miss Teen Texas Latina, Miss Texas Latina, y Mrs. Texas Latina.

Fue un tiempo hermoso y productivo, eran decenas de jovencitas que deseaban aprender y se unían de todas partes de Texas, y paralelamente seguía dando las noticias porque tenía como firme propósito seguir creciendo y ayudando.

Me enfoqué tanto en lo que hacía, pude traer finalmente a mi adorado hermano Aarón quien ha sido siempre mi terapeuta y gran amigo. En este mismo tiempo empezó a crearse a mi alrededor una envidia muy grande en mi atmósfera de trabajo, y aunque creía que yo era una persona muy fuerte e independiente, como lo he mencionado, soy muy sensible y tímida también así que fue todo un reto seguir adelante y no permitir que eso me derrumbara.

Fueron siete años de un trabajo en creciente, y puedo decir que gracias a la que fue mi casa televisiva logré traer a toda mi familia y tuve la oportunidad de ser una mejor comunicadora. Siempre le agradeceré mucho a mis jefes y muy en especial a mi directora de noticias que me apoyo y me incentivaba a ser mejor, y estuvo conmigo en mis momentos más tristes y siempre me decía no hagas caso, "tus *raitings* hablan por ti."

Fue una etapa muy fructífera en mi vida pero también tenía una enorme presión de trabajo, empecé a tener muchas envidias también por fuera y me empezó a afectar internamente porque venía de gente que veía todos los días, así que es difícil lidiar con esos elementos que lo único que hacen es querer tener lo que no han logrado por su propio esfuerzo.

No entendían que lo único que debían hacer era desarrollar sus propios talentos y trabajar mucho para conquistar oportunidades, estaban enfocados en ser destructivos y eso puede ser muy dañino. Yo me enfoqué en involucrarme con la comunidad y mi gente de San Antonio llegó a convertirse en un invaluable tesoro para mí.

Empecé a ganar premios y a aceptar invitaciones como la que me hicieron para ir un 12 de diciembre a la Catedral de San Fernando, la más antigua en la nación americana y yo soy muy guadalupana, ¡me encantó ver cómo le cantaban a la Virgen como en México!, y empecé a decir: "¡no puede ser, yo tengo que hacer algo para que esto lo podamos transmitir!", decidí escribirle al gerente de programación nacional de la cadena y le pregunté: "¿Otto Por qué no hacemos algo desde San Antonio de esta tradición tan bonita que se celebra?", él me dijo que no había nadie que fuera a producirlo, que costaba mucho dinero y era mucho trabajo.

Entonces me ofrecí de voluntaria en agradecimiento a todo lo que me daba Dios y al mismo tiempo hice un acuerdo con la Virgencita de Guadalupe que me ayudó a que transmitiéramos esa celebración tan linda a nivel nacional por la cadena. Ganamos tres premios Emmy tres años consecutivos por una linda producción de un gran evento y yo me siento bendecida porque fui parte de esa producción y de la conducción del programa.

Esos siete años de mi vida fueron muy importantes para mí, con los ratings más altos en esa ciudad además como única presentadora *"anchor"* de noticias de fin de semana porque nunca tuve ningún compañero conductor.

Pero como dicen que cada siete años hay un nuevo ciclo el mío se cumplió. Coincidió que después de mis dos accidentes la estación decidió cancelar mi posición en un momento en que teníamos los *"raitings"* más altos en toda la ciudad de San Antonio. No entendí por qué pero me dolió mucho. Justo o injusto sucedió, pero siempre creo que Dios tiene destinadas ciertas cosas que pasan en la vida de cada quien.

"La envidia es el sentimiento más ruin que puede tener el ser humano, pídele a Dios que lo aleje de tú corazón y de quienes lo cargan pues solo a ellos puede destruir"

Jackeline Cacho

Presentadora de noticias de fin de semana para Univisión 41.

Jackeline Cacho

"LATINA CROWN USA"

Entrevistando a Jimmy Smits

Celebrando el Show de la virgen de Guadalupe desde la catedral de San Fernando, con Ángeles Ochoa

Jackeline Cacho

Entrevistando a Rocío Dúrcal

Jerry Jones propietario de Dallas Cowboys apoyando mis causas comunitarias

Henry Cisneros y su esposa Mary Alice apoyando el concurso

**Mi salón de belleza, mi hermana Patty quien era mi brazo
derecho, mi socia, y la recepcionista.**

166

Firmando autógrafos en la base militar de San Antonio, TX

Preparativos para la grabación de las mañanitas para virgen de Guadalupe

Jackeline Cacho

Anuncios de periódicos en San Antonio que afirmaban mi camino al triunfo

Reportando en Israel después del 11 de septiembre

Cubriendo la segunda entifada, obteniendo premios en mi carrera periodística

3 premios Emmys por esta gran producción

Premio por el periódico La Prensa de San Antonio, Periodista del año otorgado por Tino Durán fundador

Profundizando en mi interior

Cuando inicié el tratamiento con el psicólogo primero el proceso fue individual, trataba de que cada vez que tenía un ataque de pánico, me hacía grabarlo y llamarlo para decirle qué era lo que sentía. ¡Era horrible porque me pasaba casi todos los días, pero eso me ayudó a darme cuenta de que yo misma me preparaba para mi ataque y él opinaba que me estaba autocastigando, que estaba volviendo a vivir un capítulo no cerrado!

Fue en ese tiempo cuando empecé a darme cuenta de cuanto me dolía aún todo lo que había pasado con mi padre, desde que sufrió el ataque que lo sumió en el larguísimo proceso de su enfermedad, como el sueño que tuve de su muerte, y fue necesario revivirlo para clausurarlo, pero para lograrlo tuve que tener sesiones muy dramáticas con él como psicólogo, y empecé a darme cuenta de que a mí no era a la única que me pasaba esto.

En esas sesiones lloraba al recordar las lágrimas y el dolor de mi padre, el sufrimiento de mi madre y volvía a vivir la tragedia que significó para mí el ver morir en mis brazos a mi padre. Regresaba entonces aplastante el sentimiento de culpa que tanto me perseguía porque sentía que si hubiera regresado temprano, quizá no habría muerto ese día.

Había momentos en los que gritaba llorando asegurando que fue mi culpa, ¡fue mi culpa!... El psicólogo gritaba también para que pudiera escucharlo y me decía que nada de lo que había pasado era responsabilidad mía hasta que logró ayudarme a dejar de sentirme responsable de ese capítulo tan difícil y doloroso de mi vida.

Ese es otro paso en el tratamiento de una persona que sufre de ansiedad, me di cuenta de que no soy la única en el mundo que padece eso y que no estoy sola. Después empezó a llevarme a terapias grupales donde comprobé que hay diferentes niveles y pasos que se desarrollan con los ataques de angustia, y comprendí que lo que a mí me ocurría no era tan extremo comparado con otros casos.

Entonces tomé la decisión de que pasara lo que pasara no iba a auto-medicarme, tampoco iba a usar las pastillas tranquilizantes que me habían recetado y había tomado durante tres semanas y mucho menos iba a buscar alivio con la ayuda de ningún otro medicamento para tratar de sanarme.

 Pero sucedió una semana que decidí tomar esos medicamentos recetados parecía una zombi, definitivamente no me sentía yo y era muy difícil porque por ser una persona tan activa que además debía estar muy atenta al decir las noticias, y alerta para cualquier situación de último minuto. Así es que nunca más las tome al no tomarlas me repetía: "soy suficientemente capaz de encontrar la medicina alternativa u homeópata que me ayude a sentirme mejor. Paralelamente y para ser congruente con la limpieza interna que estaba realizando cambié mi sistema de alimentación, porque es absolutamente verdad que uno es lo que ingiere, y al analizar mis conductas volví a reconocer que si bien no consumía ni alcohol ni drogas, si era "chocohólica" porque estaba abusando del consumo de chocolate, lo que probablemente no hubiera sido tan malo, si no hubiera tenido que reconocer que al comer un chocolate completo me alteraba mi sistema.

Quizá si hubiera disfrutado de sólo un poco no habría habido problema, pero igual que dicen que hay quienes se alteran porque toman tres o cuatro tazas de café, yo hacía eso pero de tazas de chocolate y todo eso estaba en mi sistema, incluso soy alérgica a la cafeína, que también contiene el chocolate y al consumirlo en grandes cantidades me detona los ataques de ansiedad así que tuve que dejarlo y me volví más naturista de lo que era.

También empecé a quitarme las harinas blancas, los azúcares y un montón de cosas que pensé que podían estarme alterando y logré encontrar el balance que tanto necesitaba porque no quería ser una persona que viviera bajo medicación porque además eso provocaba que viviera como en cámara lenta y yo quería estar muy alerta.

Afortunadamente me di cuenta de que definitivamente necesitaba ayuda profesional, igual que cualquiera que sufra este tipo de problema requiere contar con la voz de un experto, de una persona que nos guíe desde el que es un túnel oscuro, hasta reencontrar la luz.

Para lograrlo es necesario hacer un profundo análisis interno de lo que nos ha pasado para llegar a este punto. Un gran amigo, David Cohen psicólogo me hizo recordar hasta la infancia y los momentos más dolorosos que quería, pero no había podido superar, porque uno mismo se niega huyendo de esos capítulos, pero están dentro no solo no olvidados, sino sangrando, por lo que sigue haciendo daño porque como cargamos con ellos, sentimos su pesada carga a cada paso que damos.

Siempre me había preguntado: "¿Por qué a mí?, y después de tantos años que habían pasado empecé a darme cuenta de que la razón que eso estaba sucediéndome era para aclarar mi camino y misión de vida, para que pudiera ayudar a limpiar esos archivos que tanto destruyen a los seres humanos por la "mochila emocional" que todos nosotros cargamos, algunos les decimos "la cruz que llevamos" otros "el peso con que nos tocó vivir" o en fin son esos capítulos que son como piedras en la espalda que de tan pesadas, no nos permiten avanzar. ¿Te relacionas con eso?

Me tomó todo un año de sesiones empezar a destapar esa coraza de dureza que me había hecho con todos mis temores y miedos, tras lograrlo empecé a limpiar esos archivos emocionales que me permitieron sentirme libre. Entendí que debía dejar de sufrir porque todo eso, aunque doloroso, había quedado en el pasado, que venían cosas maravillosas por vivir, y que en mi presente ya estaba disfrutando de cosas hermosas porque soy la única persona que es la absoluta dueña de mi destino y de mis emociones. Tú que estás leyendo este libro también lo eres.

Fue muy largo el proceso para darme cuenta de que debía limpiar esos recuerdos que por destructivos eran como bombas de tiempo que hay que desconectar para que no estallen en el momento más inesperado: puede ser en un proceso de divorcio, cuando un hijo se enferma, al perder el trabajo, cuando un amigo te decepciona... y no necesariamente por una situación actual, sino de cosas pasadas que están acumuladas en ti, por eso es que viene ese mar de drama, ataques, ansiedad, depresión y convulsiones incontrolables.

Esas terapias fueron definitivas para mi recuperación porque en nuestra cultura mucha gente prefiere mantenerse alejada de psicólogos y psiquiatras cuando en realidad todos ocupamos ayuda en determinado momento, todos necesitamos alguien que nos escuche esto es una necesidad del ser humano "ser escuchado" porque, aunque no en todos se manifiesten ataques de ansiedad, un profesional si puede ayudarnos a detectar cosas que nos han hecho daño para aligerarnos el camino.

Me ayudó mucho hablar con el sicólogo David aclaro muchas cosas que no entendía pero también reconozco que fue de gran ayuda el haber estado en un gran balance emocional y tranquilidad espiritual porque el gran doctor de mi vida que me ayudó a sanarme ha sido mi Señor, mi Dios, con él si he sanado todo sin necesidad de ninguna medicina, eso cambió para siempre la perspectiva de mi vida.

"Todos necesitamos alguien que nos escuche esto es una necesidad del ser humano, escucha a tu interior, cada día te habla, escucha el susurro de Dios, él nos habla a cada instante…"

Jackeline Cacho

Los Ángeles: al encuentro de mi destino

Casi un mes después de salir de Univisión en una presentación pública que tuve porque continuaba muy activa con la comunidad, tenía una presentación con las que en ese entonces eran las reinas de la organización que yo funde, realmente yo no quería ir a ese evento pero fue cuando conocí a uno de los ejecutivos de la segunda cadena más importante de México que estaba llegando a Estados Unidos: Azteca América, acompañado de otras personalidades de esa importante cadena televisiva.

Fue muy chistoso cuando se presentaron porque no me conocían y en su vida me habían visto, así es que me preguntaron si era cantante o actriz porque vieron que mucha gente me pedía autógrafos y se tomaba fotos conmigo.

Mi público en San Antonio es tan fiel y tan increíble, que después de verme que ya no estaba dando las noticias de fin de semana ellos estaban muy entusiasmados al verme en

180

escenario pero yo más contenta al ver y sentir el cariño de mi gente. Les dije que hasta hacía un mes era conductora del noticiero de Univisión fin de semana, él me contestó que ellos buscaban a una conductora para el noticiero nacional...

Reflexioné mucho si eso era una casualidad, o efectivamente es que Dios tiene destinado todo lo que ocurre en nuestras vidas... Me dio su tarjeta, le llamé una semana después, dos semanas más tarde estaba viajando a la urbe angelina y un mes después en el 2006 me mudé a Los Ángeles, California cuando Azteca América se convirtió en mi casa sólo dos meses después de salir de la otra cadena.

Pero no fue fácil, porque después de tantos años que luchamos juntos como familia, mamá, mis hermanos y yo para lograr por fin volver a estar juntos, en San Antonio, Texas, Fue un momento que aunque me dio mucha alegría, también me causó obviamente mucha frustración y ansiedad, no desagradezco para nada la oportunidad que recibí y que fue maravillosa, pero en aquel momento no lo entendía y fue difícil digerirlo porque habíamos luchado mucho para estar juntos y ahora por cosas del destino teníamos que volver a separarnos.

Mi madre siempre sabia me dijo: "hija, no voy a ir contigo a Los Ángeles, hasta aquí te he acompañado en toda tu hermosa travesía que iniciaste desde que saliste de Lima para llegar a Miami, después mudarte Houston y llegar a San Antonio, yo siempre estoy contigo pero ahora tendrás que volar sola.

Fue un momento muy intenso porque temí sentirme tan solitaria como cuando dejé Perú para venir a Estados Unidos pero ahora era diferente, porque obvio ya todos estaban aquí y podríamos vernos con mayor facilidad y mi madre podría venir seguido a verme.

Fue algo muy difícil para las dos, pero como ella siempre me ha dicho que jamás dejará de orar por su Jackie, por su princesa, me armé de valor y vine a lo que definitivamente ha sido la continuación de mi destino. Por fortuna mamá ha venido muy seguido a visitarme a la hermosa ciudad que es Los Ángeles.

Cuando recién me mudé a California no podía evitar sentirme muy sola, no conocía a nadie en Los Ángeles y aunque yo era la conductora del noticiero nacional en Azteca América, la tercera cadena más grande de televisión en Estados Unidos y la segunda más importante en México de la mano de mi compañero de noticias José Martin otro gran profesional que es además un buen amigo quien me entendía cuando vio algunos de mis ataques de ansiedad y pánico al salir del noticiero.

Él notaba mis cambios y me decía: "güera, ¿hay algo qué hacer, quieres que te ayude en algo?", yo le daba las gracias y le decía que me iba a descansar a mi apartamento. Fue un gran apoyo entre todos mis compañeros que yo no quería que se dieran cuenta, él si supo y siempre me ofrecía que si ocupaba algo lo llamara. Yo de vez en cuando y como dicen que el chocolate ayuda a combatir la depresión, me comía uno para ayudarme sin sospechar que eso me ponía peor…. Con José Martín platicamos varias veces tarde por la noche al salir del trabajo, es un gran ser humano, amigo y como buen padre de familia le salía lo protector.

Cuando llegué a Los Ángeles volví a pedirle como siempre a mi papá: "papito ayúdame!, ¡papito ayúdame!, vengo a una ciudad sola, (porque mi familia se quedó en San Antonio), esta es una de las ciudades más grandes y con millones de latinos y mexicanos, es inmensamente grande y muy importante mercado después de Nueva York, ¡ayúdame!"

Se me dio la oportunidad de ser la conductora de noticias en Azteca, entré por la puerta grande porque fue en el noticiero nacional, pero al año y medio cancelaron el noticiero...

Sin embargo entiendo perfectamente que esta ciudad estaba inevitablemente en mi camino por cosas que les compartiré a detalle en otras páginas de mi próximo libro, porque aquí en Los Ángeles no solamente logré cumplir mi sueño de independizarme como empresaria sino que conocí el verdadero amor, conocí a quien hoy es mi compañero de vida, mi amigo y productor (a él no le gusta ni que lo mencione) pero tú amor "Thene" fue una gran medicina en mi corazón y aprendí además que tus mascotas te ayudan a vivir libre como me lo ha enseñado mi preciosita Candy mi perrita que acaba de cumplir 10 años y con quien vuelvo a ser niña en cada momento que juego con ella.

Agradezco a Dios que me enseñó a usar mi talento para cosas positivas e impactar el mundo de su mano y también ocurrió algo que cambió para siempre mi destino, y que les compartiré en mi próximo libro que espero lo puedan buscar... pero mientras tanto continuemos con Mi Mochila Emocional que espero les esté ayudando a descargar la de Uds. mis buenos amigos.

"Todo tiene un propósito en la vida, recuerda nada es casualidad, todo es causalidad o como dicen buenos amigos es Diosidencia"

Jackeline Cacho

Jackeline Cacho

Aquí en los Ángeles como presentadora de noticias

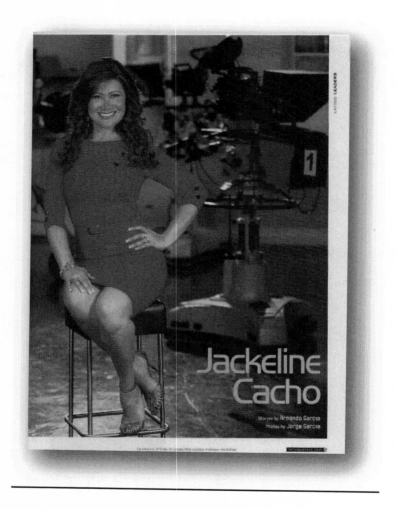

Orgullo LATINO

Jackeline Cacho

Si hablamos de rostros conocidos de la televisión hispana uno de ellos es sin duda la reconocida periodista Jackeline Cacho, quien comenzó su trayectoria en Estados Unidos con la cadena Univisión transmitido en San Antonio Texas desde el año 2000 para luego convertirse en corresponsal de la cadena Univisión para Noticieros Nacionales y Programas como "Despierta América"," Aquí y Ahora".

Los calditos de mamá y mi adiós al chocolate

Mi cambio a Los Ángeles fue definitivamente un proceso complicado para mí, pero mamá siempre que ha venido ha tratado de ayudarme, algo que no olvidaré nunca es cuando ella veía que me venían esos ataques, me preparaba uno de sus famosos caldos de pollo para el alma, porque cuando me ponía tan mal me tomaba ese caldito con todo tipo de verduras con el que lograba calmarme y me dormía creo que por tanto amor que ponía al prepararlo, aunque siempre lo hacía con productos cien por ciento orgánicos, lo que creó que me ayudó mucho.

Por eso creo que es tan importante que les comparta que considero indispensable revisar nuestro sistema alimenticio porque es cierto que somos lo que comemos. Yo dejé de consumir cosas cargadas de azúcar, las harinas procesadas y blancas las cambié por las de trigo y de quínoa, avena, cosas muy naturales y con mucha fibra, empecé a tomar mucha agua y verduras que me han ayudado mucho porque no como carne roja, con lo que no quiero decir que las personas deban dejar de hacerlo, aunque yo tengo sin comerla desde hace más de 20 años, exactamente desde que mi padre falleció.

Pero si hablo de este tema, es porque creo que es importante analizar lo que ingerimos porque hay productos a los que quizá somos alérgicos y que nos pueden alterar sin darnos cuenta como a mí me pasó con el chocolate, a lo mejor a los demás les cae bien el cacao pero hace daño la cafeína o el exceso de ella.

Si padece de ataques de pánico hay que analizar lo que consume cuando eso le pasa, para detectar una de las cosas que pueden estar originando el problema, a veces lo picante altera el organismo, hay que evitar los alimentos muy procesados porque son altísimos en sodio y le hacen mucho daño al cuerpo porque hace retener líquidos, lo que no le hace nada bien a las personas que sufrimos de ansiedad, porque lo he vivido se los puedo mencionar.

Entonces tenemos que fortalecer nuestro espíritu, analizar lo que ingerimos para fortalecer nuestro cuerpo y vivir de una manera natural porque todo eso influye en los ataques de ansiedad y pánico. A mí el chocolate, aunque es delicioso y maravilloso me provocaba reacciones convulsivas así que, aunque me encanta tuve que dejar de consumirlo y además todo lo que tomo debe ser libre de cafeína.

Al descubrir lo que me pasaba cada vez que comía chocolate investigué y encontré que la planta del cacao que científicamente llaman "teobromina" es un estimulante que afecta el sistema nervioso central de forma similar a la cafeína, que al ser consumida aumentan el estado de alerta, que como sabemos es una de las razones por las que muchos toman café como antídoto de la fatiga, pero que consumida en exceso puede hacer aumentar los latidos del corazón y contribuir a altibajos de ansiedad o depresión.

Claro que un solo chocolate no causa un efecto tan exagerado en los nervios de las personas, pero hay que investigar y saber si tienen una condición como la mía porque en ese caso el mejor consejo es incluirlo en la lista de alimentos a los que somos alérgicos porque la mayoría de las personas no consumimos lo que nos hace daño.

Sin embargo, si cedemos a la tentación y en lugar de probar un solo e inofensivo chocolatito acabamos con todos los de una caja por supuesto que incrementaremos la energía y estimularemos el corazón pero eso sólo será temporal, porque si hay abuso puede provocar sueño, ansiedad, temblores y agitación y sumado a eso, la cocoa también contiene feniletilamina, cuya palabra complicada me asustó al leerla, sobre todo porque podría causar dolores de cabeza porque dilata las venas del cerebro.

También me sorprendió mucho saber que en el historial clínico de pacientes esquizofrénicos revelaron que su dieta era muy rica en dulces, azúcar, pasteles, bebidas con cafeína y postres preparados con azúcar y que eliminan la adrenalina, por lo que deben ser eliminados o severamente restringidos, para provocar mejoría en pacientes hiperactivos o psicóticos su primera prescripción es siempre cambios drásticos en la dieta diaria.

Para asimilar toda esa información y controlar la tentación empecé a tomar mucha agua y al tratar de convencerme de que era por mi bien, descubrí que la falta de ella se relaciona con muchas enfermedades, desde la migraña y artritis hasta los ataques de ansiedad y pánico que hoy nos ocupan. Se trata específicamente de beber agua pura nada más, porque por ejemplo los jugos enlatados tienen muy altos índices de azúcar que también alteran el sistema, incluso relacionan su muy alto consumo con casos graves de depresión y hasta psicosis.

Pero no hay que preocuparse y si hay que ocuparse, porque está más que comprobado que si las personas hacen cambios sustanciales en su alimentación y reducen el consumo de azúcar, generan cambios en su comportamiento y muchas veces eso ayuda en la solución de problemas lo mismo psicológicos que físicos porque en caso contrario, los casos de perturbación emocional como los síntomas de ansiedad están íntimamente relacionados con un desequilibrio en la glucosa de la sangre.

En resumen, hay que estar conscientes de que todo lo que consumimos provoca reacciones en nuestro sistema, así que consumamos salud comiendo productos naturales y sin procesar, el hacerlo me ha ayudado mucho a conectarme con la naturaleza.

Tengo que subrayar que lo bonito de todas estas anécdotas y reflexiones que les comparto, es que cuando mamá viene siempre me prepara mis calditos con productos naturales y orgánicos además de comida peruana, que es la más rica del mundo además de la mexicana.

"Las madres son lo mejor de este mundo, respétalas y hónralas siempre".

Jackeline Cacho

Mi secreto para superar todo lo que terrenalmente me podría destruir

Así como en casa todos tenemos una cocina con todos los implementos necesarios para alimentarnos o una báscula, pesas y máquinas de gimnasio para cuidar nuestra figura, un clóset lleno de ropa y accesorios además de

cremas y maquillajes para lucir lo mejor

posible, si incluso tenemos cosas como el teléfono, la computadora o la televisión para recrearnos, o la cama para descansar, hace falta también tener en cada hogar un altar para alimentar nuestra parte espiritual, eso es lo que pienso de manera muy particular Yo.

Se trata de un lugar sagrado para ti dedicado principalmente a Dios, en el que podemos poner fotografías de tus seres amados que se han ido físicamente, pero que espiritualmente continúan contigo porque pueden ser ángeles que guían y fortalecen grandemente tu vida

Y es que la oración y meditación son indispensables para estar en constante comunicación con Dios y con los seres que te aman y te dan esa fuerza espiritual que te ayuda a superar todo lo que terrenalmente te pueda destruir.

En mi caso mi primer altar lo puse en Lima, Perú, mi segundo altar fue cuando llegue a Estados Unidos, siempre he llevado conmigo cosas que me acercan a mi papá; guardé en una maleta pequeñita todo lo que encontré cuando mi papá falleció y cositas que él me ayudó a hacer cuando era niña, como un angelito que él me recortó conmigo, una foto con mi mamá y mis hermanos... cosas que siempre me acompañan y que para mí son un tesoro.

El ver esas cosas me ayuda también a recordar a la joven sencilla que salió de Lima, Perú sin nada más que muchos sueños, eso me da mucha fuerza y me ayuda a no cambiar por más golpes que me de la vida o por más dinero que pudiera llegar a tener con el éxito que logre, porque las cosas superficiales no deben cambiar la esencia y eso es lo que he logrado poner en mi altar, que con el tiempo he ido madurando porque me he dado cuenta de que es un lugar que me fortalece.

Eso es algo que forma parte de mí, incluso cuando viajo y no estoy cerca de mi hogar siempre trato de poner en la habitación del hotel donde me hospede a mi Señor que cargo conmigo, unas velas y una foto de toda mi familia para que me acompañen, y así como tengo en mi teléfono celular recordatorios de citas de trabajo o los horarios para comer, de la misma manera incluyo recordatorios de oraciones, de acercarme al altar... lo que de pronto puede ser muy simbólico, pero es lo que me ayuda a conservar mi centro.

"Así como fortaleces tu cuerpo cada día, fortalece tú espíritu que será tú mayor guerrero en esta vida"

Jackeline Cacho

Mi guerrera espiritual

Sin duda alguna mi madre ha sido una fortaleza muy grande durante toda mi vida, ella me ha fortalecido por medio de sus oraciones, siempre me ha dicho y compartido una frase que por su mensaje religioso la mayoría cree que es bíblica, pero que en realidad fue su fe la que hizo que la escribiera don Miguel de Cervantes Saavedra en su libro de "Don Quijote", que con el paso de los siglos lo convirtió en proverbio popular y que me ha ayudado a ser fuerte hasta el día de hoy: "no existe una sola hoja que se mueva sin la voluntad de Dios", y eso es cierto.

Entonces el significado que le da mi madre es que nada de lo que nos pasa, nada de lo que le ocurre o se le atraviesa en la vida a cualquier ser humano sucede por casualidad, error o castigo, ¡nada!, y aunque a veces no nos demos cuenta del propósito, siempre provocará el crecimiento y edificación para hacernos mejores seres humanos.

Eso fue lo que ella utilizó cuando veía a su niña caída en llanto padeciendo miedos y turbulencias, cuando me daban ataques y me quería ir a los hospitales y mi madre en su desesperación de que yo no le hacía caso, llegaba y me decía: "hijita, dobla tus rodillas y vamos a orar, dobla tus rodillas y entrega tu camino a Dios, tu eres una muchachita muy talentosa y una hija muy buena pero hay algo que está pasando en tu vida que necesitas dejar pasar y procesar."

Yo por supuesto en aquel momento no lo
percibía porque me sofocaba y sentía morir,
temía que el techo de la casa me callera
encima, me urgía irme al hospital para que me
atendieran porque en ocasiones sentía que
estaba muriendo como papá, de un ataque al
corazón y que no me hacían caso.

Sin embargo, mi mamá sabía de lo que me
pasaba internamente más de lo que yo creía.
Ella lloraba y se ponía a orar sola y le decía a
Dios: "Padre yo no te reclamo ni te replico lo
que está pasando con mi hija, lo único que te

pido es que la cargues en tus brazos y la lleves en el camino durante este proceso de limpieza, edificación y restauración, algo hay en ella que necesita repararse, tú has decidido que sea así y nosotros no te cuestionamos", porque ella nunca preguntaba, sólo le pedía: "tómala de tu mano, ayúdala Padre a encontrar la luz y dale paz y tranquilidad porque no hay nadie más grande y sanador que tú."

Hay una oración muy fuerte de ella que repito siempre, que aprendí de memoria y quiero compartir para ayudar a quien la necesite: "Padre sin ti yo no soy nadie, mi camino sin ti no tiene sentido, a ti te entrego todo lo que estoy pasando en este momento, si tengo ansiedad, si tengo depresión, si tengo ese ataque de pánico que no puedo controlar, Señor me pongo en tus manos porque yo no puedo controlar nada, en ti está el control de mi vida, se tú quien guíe mi paso, mi camino y mi sufrimiento de este momento porque eres infinito y que me limpie, me transforme, me edifique y cree ese ser humano que tú quieres que sea. En ti me levanto, en ti declaro victoria y en cada paso que viviré a partir de ahora lo voy a vivir contigo a tu lado" Amén.

Es una plegaria que me ha ayudado impresionantemente, cada vez que me va a venir algo me arrodillo y me quedo callada para que el Señor obre porque yo creo en los Ángeles y sé que él los envía a ayudarme cuando me pasa eso y él va limpiando y obrando en mi vida. Él en este momento estoy segura que está obrando en TU vida y la está sanando, así que lo que esté enfermo en su mente, en su cuerpo, en su pasado, en sus archivos emocionales, el señor los está limpiando. Amén.

"Señor Padre protégenos a nosotros tus hijos, te necesitamos más en estos tiempos, libéranos de cualquier ansiedad o pánico en nuestra vida, te entregamos nuestras cargas porque sin ti no somos nada, Señor, amén"

Jackeline Cacho

Con mi adorada madre y mi preciosita Candy

Y es que con mi madre luego de un rato, cuando me pasaba la turbulencia mayor me ponía a rezar con ella, lo hicimos muchas veces frente al altar que ahora siempre tengo en el lugar a donde vaya, que hago con una foto del señor, una de mi padre, velas... y siempre le pido a Dios que ilumine mi camino.

En aquel tiempo yo no intuía la fortaleza que nos puede dar una oración y fue mi madre quien me hizo comprender que la mejor herramienta para cualquier problema es orar, fortalecernos por medio de la oración. Nuestra fe puede mover montañas, mi madre me la inculcó y la he visto desde que era una niña de once años ponerla en práctica, justo cuando enfermó papá, pero no la entendí hasta que experimenté esos problemas que me pasaron en San Antonio.

Era una época en la que no intuía la capacidad máxima de cómo un ser humano puede levantarse espiritualmente a pesar de que tu físico te diga que no, tu fe te dice que sí y te deja ver cosas que esa oscuridad que te está llenando en ese momento, no te deja ver.

Yo sentía que mis miedos me asfixiaban, que mis temores y pasado regresaban, temía que me iba a morir como mi padre y ni mi madre ni yo comprendíamos por qué tenía ese pánico pero la oración me fue limpiando, no pasó de la noche a la mañana porque no es ni fácil ni rápido...

En ese proceso también encontré un gran alivio en la sagrada Biblia, principalmente en Isaías así como los proverbios que son preciosos, y como hay uno para cada día del mes siempre son diferentes, empecé a leer uno diario cuando mi mamá me lo sugirió y descubrí que al terminarlos y volverlos a leer encuentro un significado diferente según el día, lo que me ayuda diariamente a fortalecerme, es algo muy sencillo y no es tan complicado como para que podamos hacerlo a pesar de la vida ocupada que cada quien tenemos, también los salmos son maravillosos escritos por profetas de enorme sabiduría, de verdad que el leerlos provocan cambios muy profundos en la vida de las personas.

Ahora quiero dirigirme a ti, que estás leyendo mi libro en este momento, a quien probablemente confronta en las noches o en las mañanas esos ataques de ansiedad que a mí me destruían y que quisieron destruirme por largo tiempo y van a intentar destruirte pero tú puedes ser más fuerte que ellos.

Pero para levantarte tienes que doblar tus rodillas y orar como nunca has orado, mi madre me enseñó que, así como hay oraciones, por ejemplo, un padre nuestro o cuando bendices y agradeces tus alimentos, existen oraciones para erradicar al enemigo de tu vida, y cuando hablo del enemigo me refiero al miedo de no cumplir tus sueños, el que enfrentas cuando no te alcanza el dinero para todos tus gastos o de lo que sientes cuando ves pasar los años y no logras tener un hijo.

Hablo también del enemigo que aparece cuando te acabas de divorciar y crees que tu vida está destrozada porque los temores son el adversario constante igual que los fracasos, las cosas que uno mismo se crea en su cabeza, pero cuando tú le entregas una oración a Dios todo lo que pasa a tu alrededor nada tiene más fuerza que su fuerza, como siempre me ha repetido mi madre, cuando tú permites que él entre en tu vida el Señor encuentra tu camino y te permite avanzar de su mano.

Yo no lo percibía tan claro como ahora pero en todo este proceso comprobé que la oración te fortalece, por eso así como como tres veces al día, oro tres veces al día: cuando abro los ojos al despertar y en la noche antes de cerrarlos para descansar, también cuando agradezco los alimentos de cada día, o cuando voy a manejar mi auto porque no hay límites de oración, todo depende de cómo uno se sienta, y es que cuando compruebas que la oración te fortalece espiritualmente, lo haces siempre que tienes oportunidad.

Siempre pongo el ejemplo de que así como hay lugares en los que fortaleces tu físico, que incluso vas al gimnasio para endurecer tus músculos o estar en forma, de la misma manera hay lugares o cosas que fortalecen tu espíritu y no hablo de religión ni de ir siempre a la iglesia, aunque si es importante y bonito para edificar esa relación entre tú y el Creador sin que tenga que existir una religión de por medio, y es que aunque yo no soy una persona religiosa, si me considero un ser muy espiritual.

Si construimos todos los días esa espiritualidad por medio de ella nos sentiremos fortalecidos y podremos vencer no solamente las crisis de ansiedad y los ataques de pánico, vamos a poder vencer la depresión y todas las barreras que encontremos en la vida incluidas las envidias, el qué dirán, nuestras dudas y miedos frente a tantas cosas… ¡Venceremos todo!, y lo más importante es que lograremos vivir plenos.

Lo aseguro así porque comprobé que funciona, porque lo hago, lo respiro, lo vivo y se lo difícil y doloroso que ha sido el proceso de crecimiento por el que he tenido que pasar, por eso siento tanto orgullo y agradecimiento al saber que fue mi madre quien me heredó y contagió de esa guerrera espiritual que lleva dentro, ella ha sido una luchadora invencible que ha sido la base para construir la relación tan maravillosa que tenemos como madre e hija, ha sabido ser mi amiga, confidente y consejera.

Por todos esos motivos mi madre para mí lo es todo, sin lugar a dudas es lo más grande y hermoso que Dios me ha dado y yo tanto le agradezco porque ella ha sido esa herramienta que me ha llevado a entender y fortalecer mi relación con Dios y es lo que ha ayudado a erradicar todos mis problemas, porque no hay doctor más grande que el doctor de doctores que es nuestro Señor.

"Ora y clama a Dios con todo tú corazón, ten la certeza que Dios siempre está contigo no decaigas"

Jackeline Cacho

Identifiquemos al Enemigo

Si decidí compartir todo lo que me ocurrió, fue para cumplir mi objetivo de ayudar a otros seres humanos que como yo buscan respuestas para lograr alejar para siempre de su vida los ataques de pánico y ansiedad que son la enfermedad psiquiátrica de mayor prevalencia, que ha alcanzado cifras alarmantes en los países desarrollados del primer mundo, al extremo de que numerosos expertos consideran los trastornos de ansiedad como la verdadera epidemia silenciosa del siglo XXI.

Y es que, según la Organización Mundial de la Salud, cerca de 450 millones de personas en el mundo sufren algún tipo de desorden psiquiátrico, entre ellos los de ansiedad, que son considerados como los trastornos mentales más comunes en Estados Unidos porque uno de cada ocho norteamericanos entre los 18 y 54 años los padece, porcentaje que representa a millones de personas.

Es importante subrayar que según especialistas, por factores biológicos, hormonales y sociales las mujeres somos dos o tres veces más vulnerables de sufrirlos que los hombres, ya que según estadísticas por cada tres mujeres sólo un varón los registra por diversas causas, entre ellas la elevada incidencia de factores hormonales que nos hacen padecer ansiedad, irritabilidad y cambios de estado de ánimo, además de los motivos sociales provocados por el cansancio y frustración porque con frecuencia realizan "doble jornada laboral" También porque al ser más afectivas y sensibles padecemos con mayor frecuencia trastornos depresivos ansiosos muchas veces porque nos sentimos vulnerables por razones físicas y porque en ocasiones sentimos miedo sin causa aparente y que como dura sólo algunos minutos, es difícil de diagnosticar. Esa es una de las causas más simples y reales que provocan este fenómeno que desafortunadamente va en aumento.

Incluso hay estudios en los que han demostrado que ante situaciones de estrés el cerebro de la mujer trabaja más que el del hombre y tenemos un 60 % más de posibilidades de sufrir de un trastorno de ansiedad durante nuestra vida, al extremo que investigadores están analizando si los estrógenos pueden jugar un factor de peso a la hora de explicar por qué las mujeres tenemos una respuesta más intensa del cerebro a la hora de realizar tareas en situaciones de estrés.

Según el área de Salud Mental de la Organización Mundial de la Salud (OMS), este padecimiento está creciendo en todo el mundo: se estima que una de cada 20 personas sufrirá en algún momento de su vida un trastorno de pánico. Pero en muchos casos la frecuencia se vuelve patológica y los ataques reaparecen desde tres o cuatro veces al año, hasta tres o cuatro veces en un solo día y aunque es tratable con drogas o medicamentos, esa es una solución temporal y según mi propia experiencia la terapia directa con especialistas y con la ayuda de los seres queridos es lo que en mi opinión da los mayores resultados.

Lo que es frustrante es que cuando estás al centro de ese padecimiento tan intenso se convierte en un trastorno muy invalidante: la persona tiene miedo durante el ataque y después teme volver a padecerlo y tratando de huir buscamos ponernos a salvo en nuestra zona de mayor seguridad y confort que representa nuestra casa, por lo que de pronto descubrimos que huimos de eventos con mucha gente o en lugares públicos, lo que es conocido como agorafobia.

El psicólogo que me trataba me explicó que para que sea agorafobia tiene que provocar una situación que limiten la vida que era exactamente lo que me pasaba, ¡qué difícil era dejar de sentir miedo a cosas tan simples como subirse a un elevador, pasar debajo de un puente o convivir con grupos de gente! Es algo que no se resuelve hasta que seamos capaces de dejar de sentir eso sin necesidad de tomar tranquilizantes o antidepresivos que durante una crisis hay que tomar por el temor intenso que se experimenta de morir.

Como los ataques de pánico involucran muchos síntomas físicos, lo primero que hacemos es consultar a cardiólogos y neurólogos por los dolores en el pecho y los mareos que experimentamos, en mi caso incluso llegué a pensar que se trataba de una herencia genética que me había dejado mi padre y que moriría de un ataque al corazón.

Al investigar lo que me ocurría encontré que no sólo tres mujeres por cada hombre lo padecen, también que las mujeres latinas tenemos mayor tendencia a desarrollarlos porque nos resulta difícil hablar nuestros miedos, problemas, traumas y hasta abusos por lo que llega un momento en que nuestro sistema no puede más y explota en forma de ataques de ansiedad.

Lo que más me sorprendió fue descubrir que no estaba sola con ese monstruo que me perseguía siempre porque evidentemente es de seres humanos que en algún momento enfrentemos ansiedad y temores en nuestra vida cotidiana, pero son sorprendentes las estadísticas que afirman que casi el 30 % de la población mundial los experimentan, lo que significa que millones de personas sufren de ansiedad y temores que me consta que pueden llegar a ser abrumadores, irracionales o paralizantes con la dolorosa posibilidad de arruinar la vida, particularmente a quienes padecemos de trastornos de ansiedad, que es quizá el grupo más amplio entre los trastornos psiquiátricos. Si las personas que sufren de ataques de pánico o ansiedad no se dan cuenta de lo que les ocurre y se quedan sin buscar ayuda profesional podrían llegar a pasar años encerrados en sus casas, evitando las reuniones o el contacto con la gente y al final descubrir que sufren de sorpresivos malestares que terminan por inhabilitarlos o por limitar su vida como me pasó a mí durante tanto tiempo. De igual manera si no comprendemos que el padecimiento requiere atención profesional estamos en riesgo de caer en preocupantes estados depresivos y a empezar a consumir alcohol o drogas como intentos para tratar de vencer el problema, lo que puede agravarlo todo por las consecuencias de todo tipo que eso implica, incluido el llegar a padecer graves trastornos de salud. Y es que, aunque no se habla mucho de eso, los trastornos de ansiedad se conocen desde hace mucho tiempo, ya que forman parte de nuestra raíz genética de la misma forma que el color de los ojos o del cabello, pero debido a que en la actualidad los seres humanos debemos soportar y tolerar una exigencia social cada vez mayor, estos trastornos actualmente son mucho más notables, y aunque pueden llegar a ser crónicos y altamente incapacitantes, por fortuna pueden ser totalmente superados.

Por todo eso además de compartirles la forma en que logré superarlos, quiero brindar una guía práctica con información accesible de todo lo que se sabe sobre los trastornos de ansiedad y ataques de pánico para lograr reconocerlos, comprender su origen y sobre todo saber qué podemos hacer para superarlos.

Síntomas físicos:

- Respiración rápida y difícil, sacudidas del corazón o elevación de la frecuencia cardíaca.
- Sudoración exagerada para la temperatura en que te encuentras.
- Náuseas, mareos, vértigo, desmayos, inestabilidad.
- Molestias abdominales
- Temblores o sacudidas en las extremidades
- Sientes que estás a punto de atragantarte
- Taquicardia, palpitaciones
- Opresión torácica
- Sensación de ahogo y falta de aliento
- Gran tensión muscular
- Dolores de cabeza
- Dificultad para focalizar una imagen
- Zumbidos en los oídos
- Molestias intestinales con deseo frecuente de evacuación
- Sofocones y escalofríos

- Sensación de que algo está atorado en la garganta que está a punto de ahogarte
- Dificultad para tragar
- Sensación de entumecimiento u hormigueo
- Insomnio que puede llegar a ser crónico

Síntomas psicológicos o mentales:

- Sensación repentina de terror
- Miedo a perder el control
- Intenso miedo de morir
- Miedo irracional a volverse loco
- Sensación de asfixia
- Miedo a tragar la comida y ahogarse
- Sensación de irrealidad y de alejamiento del mundo
- Dificultad de concentración
- Miedo a sufrir un ataque cardíaco
- Difícil estar en espacios abiertos o cerrados
- Sienten un miedo irracional a volar
- Ansiedad desmedida frente a determinadas situaciones
- Se sienten excesivamente tímidos

Lo que dicen de los ataques de ansiedad

- Que estás enfermo y te recetan ansiolíticos o antidepresivos
- Lo que intentan casi generalmente es eliminar los síntomas aseguran que los ataques de ansiedad y pánico son crónicos y que tendrás que cargarlos toda tu vida como una cruz.
- Te explican que es indispensable enfrentarse a lo que produce esas crisis.
- Te dicen que hay que analizar tu infancia y las relaciones con tus padres, que durante regresiones y pensamientos positivos pueden reducirse las crisis de ansiedad.
- Aseguran que todo depende de tu fuerza de voluntad, que te tienes que esforzar porque ellos hacen hasta lo imposible por ayudarte pero que tú "te resistes"
- Te convencen que necesitas ir a terapia durante mucho tiempo y que para

bloquear los ataques y crisis de ansiedad y pánico debes saber que tendrás que pasarla muy mal.

- Sin embargo, por lo que yo experimenté personalmente puedo asegurar que los tranquilizantes quitan los síntomas, pero no hacen desaparecer las crisis de ansiedad. Es como cuando tienes fiebre, es indicador de que hay una infección, si sólo se elimina la fiebre la infección continuará, o como en un dolor de una muela inservible, por muchas pastillas que se tomen el desagradable malestar no disminuye hasta que la muela se saca de raíz.

- Así que tomar un tranquilizante durante una crisis puede ser algo momentáneamente benéfico para ayudarte porque quitan los síntomas, pero como no evitan los ataques son los que hay que combatir para que evites tomar pastillas toda tu vida

Cómo se manifiestan los ataques de ansiedad o pánico:

- Pueden ir desde una extraña sensación de ansiedad en situaciones que nunca nos habían generado tensión, hasta hacernos llegar a sentir la imperiosa necesidad de salir corriendo y hacernos perder totalmente el control por el profundo miedo que se apodera de nuestra voluntad y facultades.

- Una de las principales características es que esas sensaciones, normales en determinadas circunstancias, nunca se presentan en un contexto justificado, y aunque la persona se dé cuenta de que su actitud o sensaciones no son racionales, cuando les pasan les resultan muy difíciles de controlar.

- Muchas veces inician por la sensación de un piquete o pinchazo, una presión acompañados de un diálogo interno: "¿Y si me da un infarto?" (o cualquier otra cosa grave), y se empieza a revisar todo el cuerpo en busca de síntomas que te revelen el inminente ataque.

"Estudia y escucha tú cuerpo por dentro y por fuera, no hay nadie más que te conozca mejor, tú cuerpo a uno mismo"

Jackeline Cacho

Profundizando en el problema

- Para quien experimenta un ataque de pánico lo que viven y experimentan es totalmente real, algo legítimo y justificado desde la perspectiva de su ser interior por lo que la mayoría de ocasiones es una reacción del alma por problemas o traumas vividos en algún momento de su vida y que no han sido superados, lo que limita el potencial de quien lo sufre y surgen los ataques como una manifestación de frustración por no poder realizar lo que quiere o siente que es su misión de vida.

- También lo provoca la presión de sentirse otra persona o de comportarse de otra manera a la que nos gustaría, de sentir desplazado lo que realmente se siente tras no atender a las señales de malestar que se expresan en el cuerpo o en la mente reclamando atención y que un ataque de ansiedad expresa por el pánico originado en su subconsciente porque de una u otra forma hay algo que por la circunstancia que sea es algo que no ha podido realizar.

Cómo solucionarlo

Lo más importante es aprender a evitar experimentar una de las temidas crisis de pánico para lo que hay que evitar a toda costa sentir ansiedad para desviar el proceso ante los primeros síntomas.

Eso parece sencillo, pero es al mismo tiempo muy difícil porque requiere fundamentalmente de ponerse en contacto con la más profundo para buscar incansablemente hasta lograr el reencuentro con uno mismo, para lo que es necesario unir el alma, la mente y el cuerpo porque se trata de iniciar un profundo proceso de búsqueda y cambio interior.

Como me sucedió a mí que tuve que regresar a momentos de mi niñez y confrontar todo lo que en mi vida me había causado grandes trastornos de miedo, frustración, enojo, resentimiento, culpabilidad entre otros...

Pero la solución no pasa por la comodidad de dejar que otros hagan la tarea por nosotros "entregándonos" plácidamente a las manos de un terapeuta por bueno que pueda ser, ya que es indispensable primero asumir que tenemos un problema serio y actuar en consecuencia para solucionarlo.

Sobra decir que hay que ser muy honestos y reconocer que tenemos un conflicto que no puede arreglarse ni con pastillas, psicoterapia, reiki, yoga, ni tai chi si no asumimos que el problema que se está manifestando es interno y entonces si utilizar todas las herramientas posibles, principalmente las que acabo de mencionar, porque tienen la virtud de potenciar y acelerar el proceso de sanación.

Es muy difícil explicar la situación con palabras porque el problema de fondo no se resuelve a nivel intelectual y hay que estar enterados de que sólo se puede resolver a nivel vivencial, la curación inicia cuando uno reconoce que lo padece en una absoluta toma de consciencia de que necesitamos enfrentar el problema y para eso ocupamos ayuda profesional.

Porque como las crisis de ansiedad llegan cuando quieren y se van cuando les da la gana son muy difíciles de controlar, por lo que lo primero que hay que evitar es impedir a toda costa que lleguen en cuanto se experimenten los primeros síntomas, y para eso es indispensable convencer al cerebro que no existe ningún riesgo para tu vida, aunque lo que te provoque es llegar corriendo a las salas de emergencia para que te tranquilicen, pero eso no soluciona el problema.

Hay que controlar los pensamientos para que no llegue el miedo y te paralice, repetir y comprender que lo que te pasó en la infancia no puede de ninguna manera volver a afectarte. Las crisis te hacen sufrir ahora y es en el presente cuando hay que cambiar la forma en que pensamos para comprender de una vez por todas que no hay que volver a reabrir heridas hasta que sangren de nuevo, es mejor centrarse en las soluciones y cambiar lo que piensas para que no vuelvas a permitir que vuelvan a presentarse los ataques de ansiedad.

"Tenemos que vencer el miedo, hay que liberarnos y ejercitar nuestras decisiones por uno mismo, libérate en tus acciones di lo que sientes y no lo que la gente quiere que digas, aléjate de las envidias, vive tú vida feliz, ama a plenitud, deja el pasado en el pasado, perdona y perdónate, di la verdad, aunque haya quienes no estén preparados para escucharla"

Jackeline Cacho

En resumen:

- ¿Qué nos dice el ataque de pánico?

- Que hay algo que es indispensable limpiar, borrar, perdonar o cambiar porque hace tan pesada la Mochila Emocional o carga existencial que resulta imposible cargar con ese peso sobre su espalda.

- Para lograr realizar ese cambio sin lugar a dudas se necesita ser honesto, porque irónicamente, aunque nos damos cuenta de qué es lo que lo causa, no hemos logrado expulsarlo de nuestro subconsciente y esa es la razón fundamental por la que entramos en pánico.

- Así que en definitiva el ataque de pánico expresa la falta de honestidad con nuestras vivencias físicas emocionales y espirituales.

"Ser honestos es muy necesario en todas nuestras vidas, la honestidad libera, exalta tu espíritu, limpia tu alma"

Jackeline Cacho

¿Qué hacer?

- Lo primero que hay que hacer es buscar ayuda.
- Cada uno encontrará el camino más adecuado, pero no debe de ser un camino cómodo y fácil porque nos arriesgamos a no obtener los resultados que buscamos y por consecuencia seguir sufriendo ataques de ansiedad o pánico.

- En mi opinión la ayuda siempre debería ser psico-física, es decir debería involucrar lo intelectual pero además debería incluir trabajo corporal como herramienta fundamental para "moderar" la frenética tendencia racionalista que contamina nuestra mente, porque en tanto no seamos capaces de "escuchar" las señales del resto de nuestro cuerpo, poco podremos avanzar hacia una vida en equilibrio.

- Hay que recordar que si el alma está enferma todo lo demás será afectado, descarguemos nuestra mochila de todas esas vivencias emocionales negativas o dolorosas acumuladas porque nos afecta lo mismo a nosotros que a nuestros seres queridos.

"Recuerda Nunca estamos solos, descarga tú mochila emocional con un amigo, con un familiar, con un experto, con la persona que te ama, entrégalo a Dios, libera esa carga de tus hombros y caminarás más ligera por la vida".

Jackeline Cacho

Responde el Cuestionario para ayudarte a saber cómo enfrentar el problema, si experimentas ataques de ansiedad y pánico:

- ¿Qué te está pasando?
- ¿Quién es tu enemigo o qué provoca tus ataques de ansiedad?
- ¿Con qué estás luchando?
- ¿Qué situación de tú vida continúa causándote dolor?
- ¿De qué te sientes culpable?
- ¿Cuál es tú miedo más grande?
- ¿Necesitas que te perdonen, o tú perdonar a alguien o algo?
- ¿has aceptado que necesitas ayuda?
- ¿Has buscado ayuda?
- ¿Cuál es tu proceso de recuperación?
- ¿Qué es lo que te hace sentir mejor?

Tú puedes y debes tomar el control

- Toma el control porque la raíz es psicológica y espiritual la solución vendrá de tu mente y de tu corazón.
- Hoy es el día de tomar la decisión de curarte.
- El problema no se soluciona por sí mismo, usted ya lo sabe.
- No hacer nada no es la solución
- Seguir haciendo lo que ha hecho hasta ahora y no ha dado resultado no tiene sentido
- Descubre tu guerrero espiritual.

"El día de vivir libre de ansiedad y ataques de pánico llego HOY, eres un guerrero espiritual aférrate a tu fuerza interna… lo lograrás"

Jackeline Cacho

Toma la decisión de lograr la solución definitiva

Curar la ansiedad es fácil si limpia conmigo su mochila emocional. En este libro les he compartido paso a paso lo que funcionó para mí. Sé que cada persona es muy diferente, pero hay que hacer su propia limpieza, sincerarse consigo mismo porque la ansiedad no solo perjudica su salud y calidad de vida, su trabajo, también afecta a su pareja, a su familia y a sus hijos y amigos por no poder disfrutar de su verdadero yo / ¿Quién es usted?

"Mírate al espejo, descubre hoy quien eres realmente y no tengas miedo de encontrar... la mejor versión de ti".

Jackeline Cacho

Una terapia para aliviar la ansiedad y el pánico evita los antidepresivos

Mientras las autoridades sanitarias de todo el mundo analizan los riesgos de diversos antidepresivos muy populares, médicos norteamericanos volvieron a evaluar terapias corrientes para estados que van desde la depresión, la obsesión y los ataques de pánico.

Existe una alternativa para el tratamiento de todos estos trastornos que demostró ser tan eficaz como un antidepresivo, pero sin sus efectos secundarios. Se trata de la terapia de la conducta cognitiva, una cura de corto plazo que ayuda a la gente a introducir pequeños cambios, aparentemente simples, en la forma de pensar (aspecto cognitivo) y de actuar (aspecto de la conducta), capaces de generar una recuperación profunda y duradera.

Se trata de un tratamiento capaz de aliviar la depresión, calmar la ansiedad, mejorar el sueño y reducir dolores crónicos. Sirve también para aliviar los síntomas de la bulimia, el desorden bipolar, el síndrome de fatiga crónica y la esquizofrenia.

A pesar de que esta terapia se hizo famosa en los años 80, como tratamiento para la depresión, en estos últimos años resultó ser eficaz contra más de una docena de enfermedades en las que la aflicción mental tiene algo que ver. Incluso entre un 50 y un 60% de la gente con depresión que completa los cursos para esta terapia da muestras de mejoría.

Según han comentado especialistas, este tratamiento se usaría y conocería mucho más si hubiera más especialistas entrenados, si los seguros los cubrieran y si los pacientes prefirieran menos la comodidad de las pastillas.

" Un ejemplo de la terapia de conducta cognitiva es: Si cada vez que llega un ataque de ansiedad o de pánico, me quiero ir al hospital, siento que me voy a morir, voy a decidir implementar un cambio de conducta y me diré a mí misma: no voy a ir al hospital , no me voy a morir, y voy a tomar un vaso de agua y me voy a caminar analizando que afortunada soy en estar viva y que puedo caminar, eso es un cambio significativo, es dar un giro de 360 grados o como diríamos a nivel coloquial le daremos vuelta a la tortilla"

Jackeline Cacho

Orígenes

La terapia cognitiva, utilizada por primera vez en los años 60 por el psiquiatra Aarón Beck y el psicólogo Albert Ellis, nació como un rechazo al psicoanálisis. Mientras que Sigmund Freud sondeó las profundidades del inconsciente para explicar la conducta y las enfermedades mentales, Beck y Ellis se mantuvieron en un plano más superficial.

Los dos argumentaron que la ansiedad no es el resultado de fuerzas inconscientes sino de pensamiento y presunciones negativas aparentemente triviales y postularon que era posible que estos patrones de pensamiento pesimista fueran la enfermedad y no meros síntomas.

Las técnicas cognitivas apuntan precisamente a ayudar a la gente a reconocer estos hábitos y ofrecer armas para erradicarlos. Lo primero que debe hacer la gente que sigue la terapia cognitiva es aprender a identificar patrones de pensamiento, premisas negativas, del tipo de "soy un mal padre o madre" o "nunca me va bien en los exámenes", "no tengo suerte en el amor", o "sé que algo malo me sucederá hoy". Deben comenzar luego a rebatir estas afirmaciones, valiéndose de la lógica y las pruebas, entablando una suerte de debate interno con ustedes mismos.

Analízate y pregúntate... ¿Cuántas veces estos pensamientos han sido ciertos y han pasado de la afirmación al resultado negativo?

Los neurólogos han descubierto, valiéndose de técnicas de imágenes, que la terapia cognitiva produce cambios en zonas del cerebro que también se ven afectadas por los medicamentos.

Lo más importante no es sólo cambiar la conducta y enfrentar el miedo por ejemplo a nadar y meterse a la piscina, pero luego de cambiar los pensamientos y convencernos de que nada pasará, hay que ser a toda costa racionales, hacer a un lado la imaginación y comprender que en realidad no hay riesgo de que algo pase, pasar saliva, respirar hondo y atreverse a enfrentar todo eso a lo que tanto tememos para lograr bloquear para siempre la ansiedad aprendiendo a vivir el presente sin temor al futuro.

"Identificar, planear y realizar cambios drásticos para erradicar el enemigo interno, para mí esto es una conducta cognitiva, si yo pude usted podrá hacerlo...

Jackeline Cacho

Conclusiones

Espero que este libro le haya ayudado a quienes enfrentan problemas como el que yo tuve a limpiarse internamente o saber cómo iniciar su propio proceso de sanación. Yo a estas alturas de mi vida me siento muy satisfecha de haberme independizado tras lograr establecer mi propia compañía productora y ser dueña de un programa de televisión independiente el cual está a nivel nacional satisfactoriamente después de muchas batallas.

Eso me permite tener la facilidad y bendición de llevar a mí madre a donde yo quiera con todo el equipo de producción, estamos viviendo una etapa muy bonita pero no fue fácil, sin embargo, el cómo logré vencer todos los obstáculos y retos profesionales será tema de mi siguiente libro...

Como ahora quise compartirles la forma en que logré liberarme de los ataques de ansiedad y pánico y una vez superado el reto, tras escribir este libro de "Mi mochila emocional" hay siete conclusiones que quiero compartirles:

1.-La primera es recordar que nada sucede por casualidad, todo tiene un propósito que nos hace ser mejores de lo que éramos antes de pasar por algún reto o lección que una vez superado nos convierte en mejores personas.

2.-La segunda es que todos somos guerreros espirituales, yo creo en los ángeles en esos seres espirituales que nos cuidan y tenemos que edificarnos constantemente para estar despiertos y en alerta porque de esa manera no hay nada que nos pueda destruir. Porque no hay ninguna prueba, pérdida, envidia, problema financiero que nos pueda destruir si nos fortalecemos todos los días de la mano de **Dios.**

3.-La tercera es que como tenemos un cuerpo físico lo debemos cuidar y como somos lo que ingerimos debemos hacer un balance en nuestra vida y alimentarnos con cuidado, con conciencia y no comer por comer. Además, hay que estar conscientes de ingerir líquidos sin tanta azúcar para que todo lo que consumimos nos beneficie porque somos el reflejo de lo que comemos. Hay que hacer ejercicio, pero tomarnos un momento para analizar lo hermosa que es la vida para tener balance físico y espiritual.

4.-El cuarto es que para vivir pleno hay que aprender a dar, para poder superar la ansiedad hay que hacer con pasión y alegría todo lo que hagamos, compartir con los demás, dar lo mejor de nosotros a los demás y encuentre un trabajo que le motive a dar su cien por ciento, eso nos ayuda a vivir en plenitud y a eliminar las cargas que provocan la ansiedad, además hay que vivir la vida feliz.

5.-La quinta no contamines tu entorno: no hay que permitir que nadie contamine nuestra vida, si tenemos a un lado a una persona negativa o envidiosas hay que alejarnos de ellas.

6.-La sexta es invitarnos a hacer un círculo constructivo sólo con personas positivas para nuestra vida. Eso se logra sólo con gente que nos aprecia o nos quiere y nos hacen sentir bien y conservar el círculo familiar como un tesoro y hay que valorarla como tal porque ese balance ayuda muchísimo a superar momentos difíciles.

7.-La séptima es el ser auténtico en todo momento, cuando uno pretende y no es, en algún momento sentirá frustración. Hay que caminar la vida con un propósito sintiéndonos felices de lo que hemos logrado y de dónde venimos con la cabeza en alto, así todas las ansiedades y problemas desaparecerán, de esa manera llega la armonía y tranquilidad que tanto necesitamos.

Esas son mis conclusiones emocionales, físicas y espirituales después de esta travesía que he tenido con los ataques de ansiedad y pánico, y con todo mi corazón puedo decir que

Jackeline Cacho de hoy es mejor que la de hace 15 años porque me siento más plena, humilde, sincera, espiritual, y más feliz que es lo más importante porque es algo que no brinda la fama, el aplauso, el dinero, ni nada material.

Porque lo que realmente llena la vida de las personas es lo natural, lo hermoso de la vida, lo que nos brinda Dios y el bello balance de encontrar nuestra misión de vida y estar dejando un legado en el mundo que va más allá del dinero.

Hoy me siento feliz,
espero que "Mi Mochila Emocional"
pueda ayudar a cargar su propia
mochila sin problemas, sin toda esa
carga que nos destruye con recuerdos
dolorosos por el pasado porque
nosotros somos todo lo que hemos
vivido, pero sin que nos destruya.
Deseo que Dios los bendiga, que tengan
una vida maravillosa y que a partir de
hoy sea el guerrero(a) de su vida y
declaren este momento
"Victoria de la mano de Dios" ...
Porque con ÉL todo es posible.

Jackeline Cacho

"RENACER"
(Una obra de Juan Solis)
"Cada día es un renacer, la vida evoluciona y asimismo debemos evolucionar, Renace cada día de tú vida"

251

Jackeline Cacho

Made in the USA
Middletown, DE
11 October 2022

12534145R00151